Boeken van John Fante bij Meulenhoff

Wacht tot het voorjaar, Bandini. Roman
Vraag het aan het stof. Roman
De wijn der jeugd. Verhalen
De geschiedenis van een hond. Roman

John Fante

Wacht tot het voorjaar, Bandini

ROMAN

Uit het Engels vertaald door Mea Flothuis

Meulenhoff Amsterdam

Eerste druk 1985, derde druk 2002
Oorspronkelijke titel *Wait until Spring, Bandini*
Copyright © 1938, 1983, 2002 John Fante,
c/o HarperCollins, New York
Copyright Nederlandse vertaling © 1985 Mea Flothuis en
J.M. Meulenhoff bv, Amsterdam
Vormgeving omslag Isabelle Vigier
Vormgeving binnenwerk Zeno

www.meulenhoff.nl
ISBN 90 290 7183 4 / NUR 302

Dit boek is opgedragen aan mijn moeder, Mary Fante, in liefde en verering, en aan mijn vader, Nick Fante, in liefde en bewondering.

Voorwoord

Nu ik een oud man ben, kan ik niet terugzien op *Wacht tot het voorjaar, Bandini* zonder het spoor in het verleden te verliezen. Soms, als ik 's nachts in bed lig, word ik gebiologeerd door een zin, een alinea of personage uit dat eerste boek en in een halfdroom verstrengel ik die tot zinnen en ontleen er een soort melodieuze herinnering aan, een herinnering aan een slaapkamer vroeger in Colorado, of aan mijn moeder, of mijn vader, mijn broers en zuster. Ik kan me niet indenken dat wat ik zo lang geleden schreef me evenveel rust zal geven als deze halfdroom, en toch kan ik mezelf er niet toe brengen terug te kijken, deze eerste roman open te slaan en nog eens te lezen. Ik ben te bang, ik kan niet verdragen me door mijn eigen werk in mijn hemd gezet te voelen. Ik weet dat ik dit boek nooit meer zal lezen. Maar dit weet ik ook: alle mensen uit mijn schrijvend leven, al mijn personages zijn in dit vroege werk te vinden. Niets van mijzelf is daar nu nog, alleen de herinnering aan vroegere slaapkamers, en het geluid van mijn moeders pantoffels op weg naar de keuken.

JOHN FANTE

I

Hij liep tegen de diepe sneeuw te schoppen. Alles stond hem tegen.
Hij heette Svevo Bandini en hij woonde drie blokken verderop in
de straat. Hij had het koud en er zaten gaten in zijn schoenen. Die
ochtend had hij de gaten van binnen gedicht met stukken karton
van een macaronidoos. De macaroni uit de doos was niet betaald.
Daar had hij aan gedacht toen hij het karton in zijn schoenen legde.

Hij haatte sneeuw. Hij was metselaar, en sneeuw deed de mortel
tussen de bakstenen die hij metselde bevriezen. Hij was op weg
naar huis, maar wat had het voor zin om naar huis te gaan? Als
jongen in Italië, in de Abruzzen, had hij sneeuw ook gehaat. Geen
zonneschijn, geen werk. Hij was nu in Amerika, in de stad Rocklin,
Colorado. Hij kwam net van de Imperial Poolhall. In Italië waren
ook bergen, net als de witte bergen die enkele kilometers ten westen
van hem lagen. Die bergen leken een reusachtige witte japon, als
het ware rechtstandig op de aarde neergezegen. Twintig jaar
tevoren, toen hij twintig jaar oud was, had hij een volle week
honger geleden in de plooien van die woeste witte japon. Hij had
een stookplaats gemetseld in een berghut. Het was gevaarlijk
daarboven in de winter. Hij had zich niet gestoord aan het gevaar,
omdat hij toen nog maar twintig was, en een meisje in Rocklin had,
en het geld kon gebruiken. Maar het dak van de hut was onder de
verstikkende sneeuw ingestort.

Die prachtige sneeuw had hem altijd dwarsgezeten. Hij begreep
zelf niet waarom hij niet naar Californië ging. Toch bleef hij in
Colorado, in de diepe sneeuw, omdat het nu toch te laat was. De

prachtige witte sneeuw was als de prachtige witte vrouw van Svevo Bandini, zo wit, zo vruchtbaar, liggend in een wit bed in een huis in die straat, 345 Walnut Street, Rocklin, Colorado.

Svevo Bandini's ogen traanden in de koude lucht. Bruine zachte ogen, de ogen van een vrouw. Die had hij bij zijn geboorte van zijn moeder gestolen – want na de geboorte van Svevo Bandini was zijn moeder nooit meer helemaal de oude geworden, altijd ziek, altijd met lijdende ogen na zijn geboorte, en toen stierf ze en had Svevo op zijn beurt die zachte bruine ogen.

Vijfenzeventig kilo woog Svevo Bandini, en hij had een zoon, Arturo, die het heerlijk vond om zijn ronde schouders aan te raken en de slangen daarbinnen te betasten. Het was een knappe man, Svevo Bandini, een en al spier, en hij had een vrouw, Maria genaamd, die maar hoefde te denken aan de spieren in zijn lendenen of haar lichaam en geest smolten als de sneeuw in de lente. Ze was zo wit, deze Maria, en kijken naar haar was als kijken door een waas van olijfolie.

Dio cane. Dio cane. Het betekent: God is een hond, en Svevo Bandini zei het tegen de sneeuw. Waarom had Svevo tien dollar verloren met een spelletje poker vanavond in de Imperial Poolhall? Hij was toch al zo arm, en hij had drie kinderen, en de macaroni was niet betaald, noch het huis dat zowel de drie kinderen als de macaroni herbergde. God is een hond.

Svevo Bandini had een vrouw die nimmer zei: Geef me geld om de kinderen te eten te geven, maar hij had een vrouw met grote zwarte ogen, ziekelijk schitterend van liefde, en die ogen konden op zo'n sluwe manier in zijn mond priemen, in zijn ogen, in zijn maag en in zijn zakken. Die ogen waren op zo'n droevige manier slim, want ze wisten altijd wanneer de Imperial Poolhall goede zaken had gedaan. Zulke ogen voor een vrouw! Ze zagen alles wat hij was en hoopte te worden, maar ze zagen nooit zijn ziel. Dat was vreemd, omdat Maria Bandini een vrouw was die al de levenden en de doden als zielen beschouwde. Een ziel was iets onsterfelijks, wist ze. Een ziel was iets onsterfelijks, waarover met haar niet te praten viel. Een ziel was iets onsterfelijks. Nu ja, wat het ook was, een ziel was onsterfelijk.

Maria had een witte rozenkrans, zo wit dat je hem in de sneeuw kon laten vallen om hem voorgoed kwijt te zijn, en ze bad voor de ziel van Svevo Bandini en haar kinderen. En omdat er geen tijd voor was, hoopte ze dat er ergens op de wereld iemand, een non in een stil klooster, iemand, wie dan ook, de tijd vond om te bidden voor de ziel van Maria Bandini.

Er wachtte hem een wit bed, waarin zijn vrouw lag, warm en wachtend, en hij schopte tegen de sneeuw en dacht aan iets dat hij op een dag zou uitvinden. Een idee dat hij in zijn hoofd had: een sneeuwploeg. Hij had het in het klein gemaakt van sigarenkistjes. Het was een goed idee. En toen rilde hij zoals je doet wanneer koud metaal je flank raakt, en plotseling schoten hem de vele keren te binnen dat hij in het warme bed naast Maria was gestapt, en hoe het kleine gouden kruisje van haar rozenkrans zijn huid raakte op winternachten als een koud gniffelend slangetje, en hoe hij dan vlug naar een nog kouder deel van het bed schoof, en toen dacht hij aan de slaapkamer, het huis dat niet was afbetaald, aan zijn bleke vrouw die eindeloos wachtte op hartstocht, en hij hield het niet uit, en stortte zich in zijn razernij regelrecht in diepere sneeuw naast het trottoir en liet zijn woede het met de sneeuw uitvechten. *Dio cane. Dio cane.*

Hij had een zoon, Arturo, en Arturo was twaalf en had een slee. Toen hij de tuin in kwam van het huis dat niet afbetaald was, raasden zijn voeten opeens op de boomtoppen af en hij lag op zijn rug, en Arturo's slee, nog steeds in beweging, gleed tegen een bosje sneeuw-vermoeide seringen. *Dio cane!* Hij had die jongen, dat rotjoch, toch gezégd dat hij zijn slee niet voor de deur moest laten staan. Svevo Bandini voelde hoe de sneeuwkou een aanval op zijn handen deed als dolle mieren. Hij krabbelde overeind, sloeg zijn ogen op naar de hemel, en kreeg bijna een toeval van woede. Die Arturo! Zo'n klein loeder! Hij trok de slee onder de seringen vandaan, en rukte er met methodische kwaadaardigheid de lopers af. Pas toen de vernieling compleet was dacht hij eraan dat de slee zevenvijftig had gekost. Hij sloeg de sneeuw van zijn kleren, met dat rare gloeiende gevoel in zijn enkels, daar waar de sneeuw boven in zijn schoenen was gekropen. Zeven en een halve dollar aan brandhout geslagen. *Diavolo!* Laat het joch dan maar een nieuwe slee kopen. Hij had toch al liever een nieuwe gehad.

Het huis was niet afbetaald. Het was zijn vijand, dat huis. Het had een stem, en het sprak tegen hem, almaar hetzelfde kwetterend, als een papegaai. Als de vloer van de veranda kraakte onder zijn voeten, zei het huis brutaal: Ik ben je bezit niet, Svevo Bandini, en ik zal het nooit zijn. Als hij zijn hand op de deurklink legde, ging het net zo. Vijftien jaar lang had dat huis hem getergd en getreiterd met zijn stompzinnige onafhankelijkheid. Soms kreeg hij zin er dynamiet onder te leggen om het op te blazen. Eens was het een uitdaging geweest, dat huis, dat zo veel weghad van een vrouw die hem tartte haar te bezitten. Maar in dertien jaar was hij moe en weerloos geworden en het huis had gewonnen in zijn arrogantie. Svevo Bandini trok het zich niet meer aan.

De eigenaar van het huis, een bankier, was een van zijn ergste vijanden. Van de gedachte aan het gezicht van die bankier begon zijn hart te bonzen van een honger om zich in gewelddadigheid te verteren. Helmer, de bankier. Het slijk der aarde. Telkens en telkens weer zag hij zich genoodzaakt voor Helmer te staan en te zeggen dat hij niet genoeg geld had om zijn gezin de kost te geven. Helmer, met de keurige scheiding in het grijze haar, met de zachte handen, de oesterachtige ogen van een bankier, als Svevo Bandini zei dat hij geen geld had om de termijnbetaling van zijn huis te voldoen. Dat had hij vele malen moeten zeggen, en de zachte handen van Helmer maakten hem nerveus. Met zo'n man kon hij niet praten. Hij haatte Helmer. Hij had met liefde Helmers nek gebroken, Helmers hart uitgerukt en erop getrapt. Hij dacht aan Helmer en gromde: Eens komt de dag! Eens komt de dag! Het was niet zijn huis, en hij hoefde maar zijn hand op de deurkruk te leggen om te weten dat het hem niet toebehoorde.

Haar naam was Maria, en de duisternis was licht voor haar zwarte ogen. Op zijn tenen liep hij naar de stoel in de hoek, daar bij het raam met de neergelaten groene blinden. Toen hij ging zitten kraakten allebei zijn knieën. Het klonk Maria in de oren als het klingelen van twee klokjes, en hij bedacht hoe dwaas het was dat een vrouw zo veel van haar man kon houden. De kamer was zo koud. Wasemtrechters rolden van zijn ademende lippen. Hij gromde als een worstelaar met zijn schoenveters. Altijd gedoe met zijn schoenveters. *Diavolo!* Zou hij als een oude man op zijn doodsbed liggen voor hij ooit leerde net als iedereen zijn schoenveters te strikken?

'Svevo?'

'Ja.'

'Trek ze niet stuk, Svevo. Doe het licht aan, dan maak ik ze los. Wind je nu niet zo op dat je ze stuktrekt.'

God in de hemel! Lieve Moeder Maria! Net iets voor een vrouw, nietwaar? Opwinden? Wat was er nu om je over op te winden? O God, hij kreeg zin om zijn vuist door het raam te rammen. Hij knaagde met zijn nagels aan de knoop van zijn schoenveters. Schoenveters! Waarom waren er schoenveters? Unhh. Unhh. Unhh.

'Svevo.'

'Ja.'

'Ik doe het wel. Doe het licht aan.'

Als de kou je vingers gehypnotiseerd heeft is een in de knoop getrokken veter zo weerbarstig als prikkeldraad. Met de macht van zijn arm en schouder gaf hij lucht aan zijn ongeduld. De veter brak met een klokkend geluidje, en Svevo Bandini rolde bijna van de stoel. Hij zuchtte, en zijn vrouw zuchtte mee.

'O Svevo, nu heb je hem toch weer gebroken.'

'Hou op,' zei hij. 'Dacht je dat ik met mijn schoenen aan naar bed ging?'

Hij sliep naakt, hij verachtte ondergoed, maar eenmaal per jaar, bij de eerste sneeuwvlagen, lag er altijd lang ondergoed voor hem klaar op de stoel in de hoek. Eén keer had hij deze bescherming versmaad: dat was het jaar dat hij bijna aan influenza en longontsteking was gestorven; de winter dat hij van een doodsbed was opgestaan, ijlend van de koorts, misselijk van de pillen en de drankjes, naar de keuken was gewankeld, een half dozijn bolletjes knoflook door zijn strot had gewurmd en naar bed was gegaan om het met de dood uit te zweten. Maria dacht dat haar gebeden hem genezen hadden, en daarna geloofde hij heilig in knoflook als geneesmiddel, maar Maria hield vol dat knoflook van God kwam, en Svevo vond het te zinloos om daar tegenin te gaan.

Hij was een man, en zag zichzelf niet graag in een lange onderbroek. Zij was Maria, en elke smet op zijn ondergoed, elk knoopje en elk draadje, elke geur en elke aanraking deed de punten van haar borsten tintelen van een vreugde die uit het binnenste der aarde kwam. Ze waren vijftien jaar getrouwd; en hij was welbespraakt en sprak goed en vaak over van alles en nog wat, maar zelden had hij ooit gezegd: Ik hou van je. Ze was zijn vrouw en sprak weinig, maar ze ergerde hem dikwijls met haar eeuwige Ik hou van je.

Hij liep naar het bed, stak zijn handen onder de dekens, en tastte naar die voortvluchtige rozenkrans. Toen gleed hij tussen de lakens en greep haar heftig beet, zijn armen vast om de hare geklemd, zijn benen om de hare gesloten. Het was geen hartstocht, het was alleen de nachtelijke winterkou, en ze was een klein kacheltje van een vrouw, wier droefheid en warmte hem van het begin af hadden aangetrokken. Vijftien winters, nacht na nacht, en een warme vrouw die tegen haar lichaam voeten als ijs verwelkomde, armen als ijs; hij dacht aan al die liefde en zuchtte.

En nog niet zo lang geleden had de Imperial Poolhall hem zijn laatste tien dollar afhandig gemaakt. Had die vrouw nu maar een tekortkoming gehad die een verhullende schaduw wierp over zijn eigen zwakheden. Neem nu Teresa DeRenzo. Hij zou met Teresa DeRenzo getrouwd zijn, als ze maar geen gat in haar hand had gehad, niet zo'n kletskous was geweest en als haar adem niet naar een riool had geroken, en zij – een sterke, gespierde vrouw – niet zo graag had gedaan alsof hij water in zijn zwakke armen had. Stel je voor! En Teresa DeRenzo was langer dan hij! Wel, bij een vrouw als Teresa had hij met alle genoegen de Imperial Poolhall tien dollar gegeven bij een spelletje poker. Je hoefde maar aan die adem, die kwebbelmond te denken, om God te danken dat je de kans kreeg je zuurverdiende geld over de balk te gooien. Maar niet Maria.

'Arturo heeft het keukenraam gebroken,' zei ze.

'Gebroken? Hoe dan?'

'Hij duwde Federico met zijn hoofd erdoorheen.'

'Rotjoch.'

'Hij deed het niet expres. Het was een spelletje.'

'En wat heb jij gedaan? Niets, zeker.'

'Ik heb jodium op Federico's hoofd gedaan. Een sneetje. Niet ernstig.'

'Niet ernstig! Hoe bedoel je, niet ernstig! Wat heb je met Arturo gedaan?'

'Hij was kwaad. Hij wou naar de bioscoop.'

'Is-ie gegaan.'

'Kinderen vinden dat leuk.'

'Zo'n smerige rotjongen.'

'Svevo, waarom zeg je zoiets? Je eigen zoon.'

'Jij hebt hem verwend. Je hebt ze allemaal verwend.'

'Hij lijkt op jou, Svevo. Jij wilde ook niet deugen.'

'Ik wilde – Jezus! *Ik* heb nooit mijn broer met zijn hoofd door een ruit gedrukt.'

'Jij had niet eens broers, Svevo. Maar je hebt wel je vader van de trap geduwd en zijn arm gebroken.'

Hij schoof dichterbij en duwde zijn gezicht tegen haar vlechten. Sinds de geboorte van hun tweede zoon, August, had het rechteroor van zijn vrouw een chloroformluchtje. Daar was ze tien jaar geleden mee thuisgekomen uit het ziekenhuis, of was het zijn verbeelding? Hij had er jarenlang met haar over gekibbeld, want ze bleef ontkennen dat haar rechteroor naar chloroform rook. Zelfs de kinderen hadden het geprobeerd, en die roken nooit iets. En toch was het er, altijd, precies zoals die avond op de kraamafdeling, toen hij zich vooroverboog om haar een kus te geven, nadat ze eruit gekomen was, zo dicht bij de dood en toch levend.

'En als ik mijn vader van de trap heb geduwd – wat dan nog? Wat heeft dat ermee te maken?'

'Ben jij verwend? Ben je erdoor verwend?'

'Hoe kan ik dat weten?'

'Je bent niet verwend.'

Wat was dat nu voor manier van denken! Natuurlijk was hij verwend! Teresa DeRenzo had altijd gezegd dat hij slecht en egoïstisch en verwend was. Dat vond hij heerlijk om te horen. En dat meisje – hoe heette ze ook weer – Carmela Ricci, de vriendin van Rocco Saccone, die vond hem een duivel, en zij kon het weten, zij was naar college geweest aan de universiteit van Colorado, en afgestudeerd ook, en zij had gezegd dat hij een fantastische schurk was, wreed, gevaarlijk, een bedreiging voor jonge vrouwen. Maar Maria – o Maria, die dacht dat hij een engel was, rein als brood. Bah. Wat wist Maria ervan? Ze had geen academische opleiding, ze had zelfs de middelbare school niet afgemaakt.

Niet eens de middelbare school. Haar naam was Maria Bandini, maar voor ze met hem trouwde heette ze Maria Toscana, en ze had de middelbare school nooit afgemaakt. Ze was de jongste dochter uit een gezin van twee meisjes en een jongen. Tony en Teresa – allebei met een einddiploma. Maar Maria? Er rustte een familie-vloek op haar, deze nederigste van alle Toscana's, dit meisje dat haar zin doordreef en het vertikte om de middelbare school af te maken. De domme Toscana. Die ene zonder einddiploma – het scheelde niet veel, drie en een half jaar, maar toch, geen diploma. Tony en Teresa hadden het gehaald, en Carmela Ricci, Rocco's vriendin, was zelfs op de universiteit van Colorado geweest. God was tegen hem. Waarom was hij uitgerekend verliefd geworden op deze vrouw naast hem, een vrouw die niet eens een diploma had?

''t Is binnenkort Kerstmis, Svevo,' zei ze. 'Doe een gebed. Vraag God dat het een gelukkig kerstfeest wordt.'

Haar naam was Maria, en ze zei altijd iets dat hij al wist. Hij hoefde toch niet te horen dat Kerstmis voor de deur stond? Het was nu de avond van de vijfde december. Als een man op donderdag-avond naast zijn vrouw gaat slapen, moet ze hem dan zo nodig vertellen dat het de volgende dag vrijdag is? En die jongen Arturo – waarom was hij gestraft met een zoon die met een slee speelde? *Ah, povera America!* En dan moest híj bidden voor een gelukkig kerst-feest.

'Heb je het warm genoeg, Svevo?'

Daar had je haar weer, moest ze weer weten of hij het wel warm genoeg had. Ze was iets langer dan een meter vijftig, en hij wist nooit of ze sliep of waakte, zo stil was ze. Een vrouw als een geest, altijd tevreden in haar helft van het bed, de rozenkrans biddend om een vrolijk kerstfeest. Was het een wonder dat hij zijn huis niet kon afbetalen, dit gekkenhuis, bewoond door een vrouw die aan gods- dienstwaanzin leed? Een man had een vrouw nodig die hem opjutte, inspireerde, hem hard aan het werk hield. *Ah, povera America!*

Ze gleed uit haar kant van het bed, haar tenen vonden met trefzekere precisie de pantoffels op het kleedje in het donker, en hij wist dat ze eerst naar de wc ging en dan naar de jongens kijken, een laatste inspectie voor ze terugkwam voor de rest van de nacht. Een vrouw die telkens uit bed stapte om naar haar drie zoons te kijken. O, wat een leven! *Io sono fregato!*

Hoe kwam een mens aan slapen toe in dit huis, altijd in beroe- ring, een vrouw die altijd zonder een kik uit bed gleed. Naar de hel met de Imperial Poolhall! Een full house, vrouwen en tweeën, en hij had verloren. *Madonna!* En híj moest bidden voor een gelukkig kerstfeest? Met dat soort pech moest hij nog tegen God praten? *Jesu Christi,* als God echt bestond, laat Hem dan zeggen waarom!

Zo stil als ze was weggegaan, lag ze weer naast hem.

'Federico is verkouden,' zei ze.

Hij was ook verkouden – in zijn ziel. Als zijn zoon Federico een loopneus had, wreef Maria menthol op zijn borst en lag er de halve nacht over te praten, maar Svevo Bandini leed in zijn eentje – niet onder een gekweld lichaam: onder een gekwelde ziel. Waar ter wereld was de pijn groter dan in je eigen ziel? Schoot Maria te hulp? Vroeg ze hem ooit of hij leed onder deze zware tijden? Zei ze ooit: Svevo, liefste, hoe staat het met je ziel tegenwoordig? Ben je gelukkig, Svevo? Is er nog kans op werk deze winter, Svevo? *Dio Maledetto!* En die wou een vrolijk kerstfeest? Hoe kun je een vrolijk kerstfeest hebben als je alleen staat tussen je drie zoons en je vrouw? Gaten in je schoenen, pech bij het kaarten, geen werk, bijna je nek gebroken over die verdomde slee, en jij wilt een vrolijk kerstfeest? Was hij soms miljonair? Dat had gekund, als hij met de goeie vrouw was getrouwd: ha, daar was hij te stom voor.

Haar naam was Maria, en hij voelde de zachtheid van het bed onder hem meegeven, en hij moest lachen want hij wist dat ze dichterbij kwam, en zijn lippen gingen een eindje van elkaar om ze te ontvangen – drie vingers van een klein handje raakten zijn lippen, tilden hem in een warm land binnen in de zon, en toen blies haar adem lichtjes in zijn neusgaten uit haar getuite lippen.

'*Cara sposa,*' zei hij. 'Lieve vrouw.'

Haar lippen waren nat en ze wreef ermee over zijn ogen. Hij lachte zacht.

'Ik vermoord je,' fluisterde hij.

Ze lachte, luisterde dan, gespitst, luisterde naar een geluid van de jongens, wakker in de andere kamer.

'*Che sara, sara,*' zei ze. 'Wat moet zijn, moet zijn.'

Haar naam was Maria, en ze was zo geduldig, wachtend op hem, de spieren in zijn lendenen strelend, zo geduldig, met kusjes hier en daar, en toen werd hij verteerd door de grote gloed die hij zo liefhad en ze ging op haar rug liggen.

'Ah Svevo, wat heerlijk.'

Hij beminde haar met zo veel tedere onstuimigheid, zo trots op zichzelf, terwijl hij dacht: Ze is niet dom, deze Maria, ze weet wat fijn is. De grote zeepbel die ze najoegen naar de zon ontplofte tussen hen in, en hij kreunde van zalige bevrijding, kreunde als een man, blij dat hij eventjes zo veel had kunnen vergeten, en Maria, heel stil in haar smalle helft van het bed, luisterde naar het bonzen van haar hart en vroeg zich af hoeveel hij in de Imperial Poolhall had verloren. Veel, ongetwijfeld; misschien wel tien dollar, want Maria had dan wel geen einddiploma maar ze kon de misère van die man aan de mate van zijn hartstocht aflezen.

'Svevo,' fluisterde ze.

Maar hij was diep in slaap.

Bandini, de sneeuwhater. Hij sprong om vijf uur die ochtend uit bed, als een raket, smoelen trekkend tegen de koude ochtend, honend: Bah, Colorado, het achterend van Gods schepping, altijd bevroren, geen plek voor een Italiaanse metselaar; o, hij was gestraft met dit leven. Op de zijkant van zijn voeten liep hij naar de stoel, graaide naar zijn broek en schoof zijn benen erin, terwijl hij bedacht dat hij zo twaalf dollar per dag derfde, vakbondstarief, acht uur hard werken, en allemaal daarom! Hij rukte aan het gordijnkoord; het schoot omhoog, ratelend als een machinegeweer, en de witte naakte ochtend dook de kamer in, helder licht over hem heen spattend. Hij grauwde ertegen. *Sporca chone:* lelijke kop, noemde hij het. *Sporcaccione ubriaco:* lelijke dronken kop.

Maria sliep met de slaperige waakzaamheid van een poes, en dat gordijn maakte haar meteen wakker, haar ogen rap van schrik.

'Svevo, het is veel te vroeg.'

'Ga slapen. Wie vraagt jou wat? Ga slapen.'

'Hoe laat is het?'

'Tijd voor een man om op te staan. Tijd voor een vrouw om te gaan slapen. Stil.'

Ze was nooit gewend geraakt aan dat vroege opstaan van hem. Zeven uur was haar tijd, de keren in het ziekenhuis niet meegeteld, en eenmaal had ze tot negen uur uitgeslapen en er hoofdpijn aan overgehouden, maar deze man met wie ze getrouwd was schoot in de winter altijd om vijf uur uit zijn bed en 's zomers om zes uur. Ze wist wat een kwelling de witte winterse gevangenis voor hem was; als ze over twee uur opstond, zou hij elke sneeuwkluit van alle tuinpaden hebben geruimd tot een half blok ver in de straat, tot onder de waslijnen, diep het achterpad in, de sneeuw hoog opstapelend, opzij schuivend, driftig hakkend met zijn platte schop.

En zo was het. Toen ze opstond en haar voeten in haar sloffen schoof, waar de tenen doorheen piepten als gerafelde bloemen, keek ze door het keukenraam en zag waar hij stond, buiten op het achterpad aan de andere kant van de hoge schutting. Een reus van een man, die kleiner leek, schuilging achter een bijna twee meter hoge schutting; zijn schop stak er nu en dan bovenuit en wierp wolken sneeuw terug naar de hemel.

Maar hij had het fornuis in de keuken niet aangemaakt. O nee, dat zou hij nooit doen. Wat was hij – een vrouw, dat hij het vuur zou aanmaken? Een heel enkele keer misschien. Eenmaal waren ze met hem de bergen in geweest om vlees te roosteren, en toen had absoluut niemand dan hij aan het vuur mogen komen. Maar een kachel! Hij was toch geen vrouw!

Het was zo koud die ochtend, zo koud. Haar kaken klapperden

en renden van haar weg. Het donkergroene linoleum leek wel een ijsvlakte onder haar voeten, het fornuis een blok ijs. Dat was nog eens een fornuis! een despoot was het, ongetemd, slechtgehumeurd. Ze vleide het, paaide het met zoete woordjes, een zwarte beer van een kachel die aanvallen van rebellie had, Maria tartend om hem aan het gloeien te brengen; een kankerpit van een fornuis, dat eenmaal warm en heerlijke hitte uitstralend, het soms ineens op z'n heupen kreeg, gloeiend geel aanliep en dreigde het hele huis te vernietigen. Alleen Maria kon met dat zwarte brok mokkend ijzer omgaan, en ze deed het met één takje tegelijk, koesterde de schuchtere vlam, voegde een stukje hout toe, en nog een en nog een, tot het ronkte onder haar zorgen, het ijzer heet werd, de oven uitzette, en de hitte begon te loeien, tot het knorde en gromde van tevredenheid, als een idioot. Ze was Maria, en de kachel hield alleen van haar. Als Arturo of August een kooltje gooiden in zijn gulzige mond, werd hij zo dol van zijn eigen koorts, dat de verf in blazen van de muur brandde, dan werd hij een griezelig geel brok hel, sissend om Maria, tot ze fronsend en deskundig kwam kijken, een doek in haar hand, en hem hier en daar berispend toesprak, handig de luchtsleuven sloot, rammelde aan zijn ingewand, tot hij zijn gewone stompzinnigheid herkreeg. Maria had handen niet groter dan rafelige rozen, maar die zwarte duivel was haar slaaf, en ze was eigenlijk erg op hem gesteld. Ze poetste hem tot hij glom, opzichtig en gemeen, de nikkelen naamplaat vals grijnzend als een mond, al te trots op zijn fraai gebit.

Toen de lange vlammen eindelijk oplaaiden en het fornuis goedemorgen gromde, zette ze water op voor koffie en liep terug naar het raam. Svevo stond in de kippenren hijgend op zijn schop te leunen. De kippen waren uit het schuurtje gekomen, bekeken hem klokkend, deze man die de gevallen witte hemel van de grond kon tillen en over de schutting gooien. Maar van bij het raam zag ze dat de kippen niet al te dicht in zijn buurt kuierden. Ze wist waarom. Het waren háár kippen; ze aten uit haar hand, maar hem haatten ze. Ze kenden hem als degeen die soms op zaterdagavond kwam om te doden. Dit was in orde; ze waren heel blij dat hij de sneeuw had geruimd zodat ze in de aarde konden krabben, ze stelden het erg op prijs, maar ze konden hem nooit vertrouwen zoals de vrouw, die maïs liet regenen uit haar kleine handen. En hun spaghetti in een schaal gaf, ze kusten haar met hun snavel als ze ze spaghetti bracht; maar pas op voor deze man.

Ze heetten Arturo, August en Federico. Ze waren nu wakker, hun ogen helemaal bruin en helder gewassen in de donkere rivier van de slaap. Ze lagen met z'n drieën in een bed. Italiaanse jongens, die gedrieën dolden in bed, met dat korte rare lachje om hun schunnigheden. Arturo, die wist al heel wat. Hij vertelde hun nu wat hij wist, de woorden kwamen uit zijn mond als warme witte damp in de koude kamer. Hij wist al heel wat. Hij had al heel wat gezien. Jullie weten geeneens wat ik heb gezien. Ze zat op de verandatrap. Ik stond zowat zó ver van haar af. Ik heb alles gezien.

Federico, acht jaar oud.

'Wat heb je dan gezien, Arturo?'

'Hou je kop, sukkel. We hebben het niet tegen jou.'

'Ik zal het aan niemand zeggen, Arturo.'

'Ach, hou toch je mond. Je bent nog te klein.'

'Dan zeg ik het wél.'

Met vereende kracht gooiden ze hem het bed uit. Hij bonsde tegen de vloer, grienend. De koude lucht pakte hem onverhoeds beet en stak hem met tienduizend naalden. Hij krijste en probeerde weer onder de dekens te komen, maar ze waren sterker dan hij en hij schoot om het bed heen naar de kamer van zijn moeder. Ze stond haar katoenen kousen aan te trekken. Hij zette een keel op van de schrik.

'Ze hebben me uit bed gesmeten! Arturo en August.'

'Klikspaan!' werd er uit de andere kamer gegild.

Hij was zo mooi, vond ze, die Federico; ze vond zijn huid zo mooi. Ze sloeg haar armen om hem heen en wreef met haar handen over zijn rug, kneep eens in zijn lekkere billetjes, duwde en kneedde de warmte in hem terug, en hij dacht aan haar geur, vroeg zich af wat het was en hoe heerlijk die was 's morgens.

'Ik wil in mamma's bed,' zei hij.

Vlug klom hij erin, en ze stopte hem stevig toe, schudde hem van genot, en hij was zo blij dat hij aan mamma's kant van het bed lag, met zijn hoofd in het kuiltje dat mamma's haar had gemaakt, omdat hij papa's kussen niet lekker vond; een beetje zuur en ranzig, maar dat van mamma rook zoet en hij werd er helemaal warm van.

'Ik weet nóg iets,' zei Arturo. 'Maar dat zeg ik niet,'

August was tien; hij wist niet zo veel. Hij wist natuurlijk wel meer dan zijn onnozele broertje Federico, maar niet half zo veel als de broer naast hem, die alles wist van vrouwen en zo.

'Wat krijg ik als ik het zeg?' zei Arturo.

'Een ijsco.'

'Een ijsco. Je bent gek. Wat moet ik met een ijsco in de winter?'

'Van de zomer dan.'

'Ja, het is goed. Wat krijg ik nú?'

'Je kan krijgen wat ik heb.'

'Goed. Wat heb je dan?'

'Niks.'

'Best. Dan zeg ik ook niks.'

'Je hebt niet eens wat te vertellen.'

'Dat dacht je maar.'

'Zeg het dan voor niks.'

'Peins er niet over.'

'Je liegt, daarom. Je bent een leugenaar.'

'Zeg dat nog eens!'

'Je bent een leugenaar als je het niet zegt. Leugenaar!'

Hij was Arturo, en hij was veertien. Een miniatuureditie van zijn vader, zonder de snor. Zijn bovenlip krulde met zulk een zoete wreedheid. Sproeten zwermden over zijn hele gezicht als mieren op een taart. Hij was de oudste, en hij voelde zich al een hele held, en zo'n snotjoch kon hem niet ongestraft een leugenaar noemen. Binnen vijf seconden lag August te kronkelen. Arturo lag onder de dekens bij zijn broers voeten.

'Dat is mijn houdgreep,' zei hij.

'Au! Lamelos.'

'Wie is er hier een leugenaar?'

'Niemand!'

Hun moeder was Maria, maar ze noemden haar mamma, en ze stond al naast hen, nog altijd verschrikt, verbijsterd door de plichten van het moederschap. Daar had je nu August; het was makkelijk om zijn moeder te zijn. Hij had geel haar, en wel honderd keer op een dag kwam uit het niets de gedachte in haar op dat haar tweede zoon geel haar had. Ze kon August kussen zo veel ze wilde, zich vooroverbuigen en het gele haar proeven en haar mond op zijn gezicht en ogen drukken. Hij was een lieve jongen, August. Ze had wel heel wat met hem te stellen gehad. Zwakke nieren, had dokter Hewson gezegd, maar dat was nu over, en de matras was nu 's morgens nooit meer nat. August zou een grote jongen worden die nooit meer in zijn bed plaste. Wel honderd nachten had ze op haar knieën naast hem gelegen terwijl hij sliep; had haar rozenkrans laten klikken in het donker en God gesmeekt: Alstublieft, lieve Heer, laat mijn zoon niet meer in bed plassen. Wel honderd nachten, wel tweehonderd. De dokter had het zwakke nieren genoemd; zij had het Gods wil genoemd; en Svevo Bandini had het godvergeten slordigheid genoemd en had August in de kippenren willen laten slapen, geel haar of geen geel haar. Allerlei geneesmiddelen waren aanbevolen. De dokter schreef pillen voor. Svevo zag meer heil in de scheerriem, maar dat had ze hem altijd met een smoesje uit zijn hoofd gepraat; en Donna Toscana, haar moeder, had dringend aangeraden August zijn eigen urine te laten opdrinken. Maar haar naam was Maria, en dat was ook de moeder van de Verlosser, en ze was naar die andere Maria gegaan langs kilometers rozenkransen. Wel, August was opgehouden, nietwaar? Als ze in de vroege ochtend haar hand onder hem liet glijden, dan was hij immers droog en warm? En hoe kwam dat? Maria wist wel hoe dat kwam. Niemand kon het verklaren. Bandini had gezegd: Bij God, dat werd tijd; de dokter zei dat het van de pillen kwam; en Donna Toscana beweerde dat het allang over was geweest als ze maar naar haar geluisterd hadden. Zelfs August was verbaasd en blij op de dagen dat hij bij het ontwaken droog en schoon was. Hij herinnerde zich de nachten dat hij wakker werd en zijn moeder op haar knieën naast zijn bed zag liggen, haar gezicht tegen het zijne, de kralen tikkelend, haar adem in zijn neusgaten, en dat de geprevelde woordjes wees gegroet Maria, wees gegroet Maria, zijn neus en ogen in stroomden tot hij een vreemd soort melancholie voelde, liggend tussen deze twee vrouwen, een hulpeloosheid die hem benauwde en deed besluiten hun beider wens te vervullen. Hij zou gewoon *nooit* meer in bed pissen.

Het was makkelijk om de moeder van August te zijn. Ze mocht met het gele haar spelen zo vaak als ze wilde, omdat hij vol was van verwondering over dit mysterie. Ze had zo veel voor hem gedaan, Maria. Ze had hem groot gemaakt, hem het gevoel gegeven dat hij een echte jongen was, en nu kon Arturo hem nooit meer plagen en treiteren met zijn zwakke nieren. Als ze elke nacht op haar fluister-voeten aan zijn bed kwam, hoefde hij maar de warme vingers over zijn haar te voelen strelen om te weten dat zij en een andere Maria hem van een bangebroek in een echte jongen hadden veranderd. Geen wonder dat ze zo heerlijk rook. En Maria vergat nimmer het wonder van het gele haar. Waar het vandaan kwam wist God alleen, en ze was er o zo trots op.

Ontbijt voor drie jongens en een man. Zijn naam was Arturo, maar hij haatte die en wilde John genoemd worden. Zijn achter-naam was Bandini, en hij wou dat het Jones was. Zijn vader en moeder waren Italianen, maar hij wou een Amerikaan zijn. Zijn vader was metselaar, maar hij wilde werper worden bij de Chicago Cubs. Ze woonden in Rocklin, Colorado, tienduizend inwoners, maar hij wou in Denver wonen, vijftig kilometer verderop. Hij had sproeten op zijn gezicht, en hij wou dat het smetteloos was. Hij zat op een katholieke school, en hij wou naar een openbare. Hij had een meisje dat Rosa heette, maar ze had een hekel aan hem. Hij wilde braaf zijn, maar hij durfde niet braaf te zijn omdat hij bang was dat zijn vriendjes hem een heilig boontje zouden vinden. Hij was Arturo en hij hield van zijn vader, maar hij vreesde de dag dat hij volwassen zou zijn en sterker dan zijn vader. Hij vereerde zijn vader, maar zijn moeder vond hij een bange kip zonder kop.

Waarom was zijn moeder anders dan andere moeders? Want dat was ze, en hij zag het elke dag weer. De moeder van Jack Hawley wond hem op: ze kon hem een koekje geven op een manier waar zijn hart van ging spinnen. De moeder van Jim Toland had mooie benen. De moeder van Carl Molla droeg nooit iets anders dan een katoentje, en als ze de keukenvloer veegde stond hij in vervoering op de achterveranda te kijken naar mevrouw Molla met haar bezem, zijn hete ogen als vastgezogen aan het bewegen van haar heupen. Hij was veertien en het besef dat zijn moeder hem niet opwond maakte dat hij haar in stilte haatte. Altijd keek hij uit zijn ooghoek naar zijn moeder. Hij hield van zijn moeder maar hij haatte haar.

Waarom liet zijn moeder zich door Bandini koeioneren? Waarom was ze bang voor hem? Als ze naar bed waren en hij wakker lag, zwetend van haat, waarom liet zijn moeder Bandini zoiets met haar doen? Als ze van de wc kwam en in de slaapkamer van de jongens keek, waarom glimlachte ze dan in het donker? Hij kon haar glimlach niet zien, maar hij wist dat hij er was op haar gezicht, die voldoening van de nacht, zo verliefd op het donker en het verborgen licht dat haar gezicht deed opgloeien. Dan haatte hij ze alle twee, maar haar het meest. Hij kreeg zin om op haar te spugen, en lang nadat ze alweer naar bed was lag de haat nog op zijn gezicht, zodat zijn wangspieren er moe van werden.

Het ontbijt was klaar. Hij hoorde zijn vader om koffie vragen. Waarom moest zijn vader altijd zo schreeuwen? Kon hij niet wat zachter praten? Iedereen in de buurt wist precies wat er in hun huis omging doordat zijn vader de hele tijd zo schreeuwde. De Moreys van hiernaast – daar hoorde je nog geen piepje, nooit; rustige, Amerikaanse mensen. Maar zijn vader was niet alleen een Italiaan, hij moest ook nog een luidruchtige Italiaan wezen.

'Arturo!' riep zijn moeder. 'Eten.'

Alsof hij niet wist dat het ontbijt klaarstond. Hij haatte de badkamer omdat er geen badkuip was. Hij haatte tandenborstels. Hij haatte de tandpasta die zijn moeder had gekocht. Hij haatte de kam, altijd vol klonters metselkalk van zijn vaders haar, en hij had de pest aan zijn eigen haar omdat het nooit bleef zitten. En bovenal haatte hij zijn eigen gezicht dat gevlekt was met sproeten, als tienduizend koperen centen over een kleed gestrooid. Het enige in de badkamer dat hem aanstond was de losse vloerplank in de hoek. Daar verstopte hij *Rode Misdaad* en *Griezelverhalen*.

'Arturo! Je eieren worden koud.'

Eieren. O God, wat had hij de pest aan eieren.

Ze waren inderdaad koud; maar niet zo koud als de ogen van zijn vader, die hem dreigend aanstaarde terwijl hij ging zitten. Toen schoot het hem te binnen, en één blik leerde hem dat zijn moeder had geklikt. Jezus! Dat zijn eigen moeder hem verlinkt had! Bandini knikte naar het raam met de acht ruitjes aan de andere kant van de kamer, één ruitje verdwenen, het gat afgedekt met een theedoek.

'Dus jij hebt je broer met zijn hoofd door de ruit geduwd?'

Het werd Federico te veel. Hij zag het weer helemaal voor zich, de boze Arturo, Arturo die hem tegen het raam drukte, het breken van glas. Opeens begon Federico te huilen. De vorige avond had hij niet gehuild, maar nu herinnerde hij het zich weer: het bloed dat uit zijn haar kwam, zijn moeder die de wond uitwaste, en zei dat hij flink moest zijn. Het was vreselijk. Waarom had hij gisteren niet gehuild? Hij wist het niet meer, maar nu huilde hij wel, en wrong met zijn knokkels de tranen uit zijn ogen.

'Hou je kop!' zei Bandini.

'Moet iemand jóuw hoofd maar eens door het raam duwen,' snikte Federico. 'Kijken of jij dan niet huilt.'

Arturo kotste van hem. Waarom moest hij een jonger broertje hebben? Waarom had hij voor het raam gestaan? Wat waren dit voor spaghettivreters? Moet je zijn vader nu zien. Moet je zien hoe hij met zijn vork in zijn eieren prakte om te tonen hoe kwaad hij was! Het eigeel op zijn vaders kin! En in zijn snor! Ja hoor, een echte spaghettivreter heeft een snor, maar daarom hoefde hij toch geen eigeel in zijn oren te smeren? Kon-ie zijn mond niet vinden? O God, die Italianen!

Maar Federico was al stil. Zijn martelaarschap van de vorige avond interesseerde hem niet meer; hij had een broodkruimel in zijn melk gezien en die deed hem denken aan een boot op de oceaan; *drrrrr*, zei de motorboot, *drrrrr*. Als de oceaan eens van echte melk was – kon je dan roomijs krijgen op de noordpool? *Drrrrr, drrrrr*. Opeens dacht hij weer aan gisteravond. Een stroom van tranen vulde zijn ogen en hij snikte. Maar de broodkruimel zonk. *Drrrr, drrrr*. Niet zinken, motorboot! niet zinken! Bandini zat naar hem te kijken.

'Jezus Christus!' zei hij. 'Wil je nu die melk opdrinken en ophouden met dat geklieder?'

De naam van Christus ijdellijk gebruiken was als een klap in Maria's gezicht. Toen ze met Bandini trouwde was het niet in haar opgekomen dat hij vloekte. Ze raakte er nooit helemaal aan gewend. Maar Bandini vloekte om alles. Het eerste woord dat hij leerde in Amerika was godverdomme. Hij was heel trots op zijn vloeken. Als hij razend was luchtte hij zijn woede in twee talen.

'Nou,' zei hij. 'Waarom heb je je broer met zijn hoofd door het raam geduwd?'

'Weet ik niet,' zei Arturo. 'Ik dee het gewoon, anders niks.'

Bandini rolde met zijn ogen van ontzetting.

'En hoe weet je dat ik je je godvergeten kop niet afsla?'

'Svevo,' zei Maria. 'Svevo. Toe.'

'Wat moet jíj nu weer,' zei hij.

'Hij deed het niet expres, Svevo,' glimlachte ze. 'Het was per ongeluk. Kinderen zijn kinderen.'

Hij smeet zijn servet met een klap neer. Hij beet op zijn tanden en rukte aan zijn haar met beide handen. Hij wiegde in zijn stoel, heen en weer, heen en weer.

'Kinderen zijn kinderen,' smaalde hij. 'Dat kleine rotjoch duwt zijn broer met zijn hoofd door het raam, maar kinderen zijn kinderen. Wie betaalt er een nieuw raam? Wie betaalt de doktersrekening als hij zijn broer nog eens van een rots duwt? Wie betaalt de advocaat als hij de bak indraait wegens moord op zijn broer? Een moordenaar in de familie. *O Deo uta mi.* O God, sta me bij!'

Maria glimlachte hoofdschuddend. Arturo krulde zijn lippen in een moordlustige grijns: zijn eigen vader was dus ook al tegen hem, beschuldigde hem van moord. August schudde droevig mee; die was maar wat blij dat hij later geen moordenaar zou worden zoals Arturo; August zou priester worden, misschien zou hij hem wel de laatste sacramenten toedienen voor hij naar de elektrische stoel werd gestuurd. En Federico, die zag zichzelf het slachtoffer van de drift van zijn broer, zag zich al opgebaard voor de begrafenis, al zijn vriendjes van de St.-Catharina waren erbij, huilend en op hun knieën; o, vreselijk was het. Zijn ogen zwommen opnieuw en hij snikte bitter, en vroeg zich af of hij nog een glas melk zou mogen hebben.

'Mag ik een motorboot met Kerstmis?' zei hij.

Bandini staarde hem verbaasd aan.

'Daar zitten we nu echt om te springen,' zei hij. Toen flitste zijn tong sarcastisch: 'Wou je een echte motorboot, Federico? Eentje die tjoeketjoek doet?'

'Ja, dat bedoel ik,' lachte Federico. 'Zo een die tjoeketjoeketjoek doet!' Hij zat er al in, stuurde over de keukentafel en over het Blauwe Meer hoog in de bergen. Bandini's loerende blik deed hem de motor afzetten en voor anker gaan. Hij was heel stil nu. Bandini's blik was strak, keek dwars door hem heen. Federico wou alweer gaan huilen, maar durfde niet. Hij sloeg zijn ogen neer naar het lege melkglas, zag nog een druppel op de bodem, en leegde het zorgvuldig, met een blik over de rand van het glas. Daar zat Svevo Bandini – te loeren. Federico kreeg er kippevel van.

'Jemig,' griende hij. 'Wat heb ík dan gedaan?'

Het verbrak de stilte. Ze ontspanden, zelfs Bandini, die het toneel lang genoeg beheerst had. Rustig zei hij: 'Geen motorboten, begrepen? Geen sprake van motorboten.'

Was dat alles? Federico zuchtte opgelucht. Al die tijd had hij gedacht dat zijn vader gemerkt had dat hij de centen uit zijn werkbroek had gestolen, de straatlantaarn op de hoek had vernield, het portret van zuster Maria Constantia op het schoolbord had getekend, Stella Colombo een sneeuwbal in haar oog had gegooid, en in het wijwater op de St.-Catharina had gespuugd.

Heel zoet zei hij: 'Ik hoef geen motorboot, papa. Als jij het niet wilt, dan wil ik hem ook niet, papa.'

Bandini gaf een zelfvoldaan knikje naar zijn vrouw: dat was dé manier om kinderen op te voeden, zei die knik. Als je wilt dat een kind iets doet, moet je hem gewoon aankijken: zo moet je een jongen aanpakken. Arturo veegde het laatste restje ei van zijn bord en smaalde: Jezus, wat een sufferd was zijn pa! Hij, Arturo, hij kende Federico; hij wist wat een smerige huichelaar Federico was;

dat brave smoeltje van hem, daar zou hij van z'n leven niet intrappen; en opeens wou hij dat hij niet alleen Federico's hoofd maar zijn hele lijf van top tot teen het raam uit had gewipt.

'Toen ik een jongen was,' begon Bandini. 'Toen ik een jongen was in het oude land – '

Onmiddellijk liepen Federico en Arturo van tafel. Dit was ouwe koek. Ze wisten dat hij nu voor de tienduizendste keer ging vertellen dat hij vier cent per dag verdiende met stenen sjouwen op zijn rug, vroeger, toen hij een jongen was, in het oude land, dat hij stenen sjouwde op zijn rug, vroeger, toen hij een jongen was. Het verhaal hypnotiseerde Svevo Bandini. Het was een droombeeld dat zowel Helmer de bankier smoorde en verdoezelde als de gaten in zijn schoenen, het huis dat niet was afbetaald, de kinderen die moesten eten. Toen ik een jongen was: een droombeeld. Het verstrijken der jaren, het oversteken van de oceaan, het groeiend aantal monden die gevoed moesten worden, de opeenstapeling van zorg op zorg, jaar in jaar uit, was ook iets waarop je je beroemen kon, als het vergaren van grote rijkdom. Hij kon er geen schoenen van kopen, maar het was hem overkomen. Toen ik een jongen was – Maria, voor de zoveelste keer luisterend, vroeg zich af waarom hij zich altijd zo afschilderde, gebukt onder de jaren, zichzelf oud maakte.

Er was een brief gekomen van Donna Toscana, Maria's moeder. Donna Toscana met de grote rode tong, niet groot genoeg om de boze speekselstroom te stuiten bij de gedachte dat haar dochter met Svevo Bandini was getrouwd. Maria draaide de brief om en om. Van onder de flap welden lijmklodders, waar Donna Toscana's reusachtige tong erlangs had gelikt. Maria Toscana, 345 Walnut Street, Rocklin, Colorado, want Donna weigerde de huwelijksnaam van haar dochter te gebruiken. Het vette, woeste handschrift leek op de halen van een bloederige havikssnavel, het schrift van een boerenvrouw die zoëven een geit de keel had afgesneden. Maria maakte de brief niet open; ze wist wat erin stond.

Bandini kwam binnen uit de achtertuin. In zijn handen torste hij een groot brok glimmende kool. Hij liet het in de kolenkit achter de kachel vallen. Zijn handen waren besmeurd met zwart stof. Hij fronste; kolen halen stuitte hem tegen de borst, dat was vrouwenwerk. Hij keek geprikkeld naar Maria. Ze knikte naar de brief die tegen een gedeukt zoutvaatje op het gele tafelzeil stond. Het vette handschrift van zijn schoonmoeder kronkelde als kleine slangetjes voor zijn ogen. Hij haatte Donna Toscana met een razernij die neerkwam op angst. Bij elke ontmoeting botsten ze als mannelijke en vrouwelijke dieren. Het deed hem genoegen die brief met zijn smerige zwarte handen aan te pakken. Het was hem een genot hem slordig open te scheuren zonder zich om de ingesloten boodschap te bekommeren. Voor hij de regels las wierp hij Maria een priemende blik toe, om haar nog eens in te scherpen hoe hij de vrouw haatte die haar het leven had geschonken. Maria had geen verweer; zij stond buiten deze strijd, haar hele huwelijksleven had ze hem genegeerd, en ze zou de brief vernietigd hebben als Bandini haar niet verboden had boodschappen van haar moeder zelfs maar open te maken. Aan het openen van haar moeders brieven ontleende hij een kwaadaardig genoegen, dat Maria met schrik vervulde; het had iets zwarts en vreesaanjagends, alsof je onder een vochtige steen keek. Het was de verziekte lust van een martelaar, van een man die een schier exotische vreugde beleefde aan het kastijden van een schoonmoeder die zich verheugde in zijn ongeluk, nu hij in een moeilijke tijd was beland. Bandini genoot van die kwelzucht, want deze gaf hem een wilde drift om zich te bedrinken. Hij dronk zelden overmatig, omdat hij er misselijk van werd, maar een brief van Donna Toscana had een verblindende uitwerking op hem. Die verschafte hem een excuus voor vergetelheid, want als hij dronken was kon hij zijn schoonmoeder haten op het hysterische af, en hij kon vergeten, hij kon het huis vergeten dat niet was afbetaald, zijn rekeningen, de drukkende monotonie van het huwelijk. Het betekende ontsnapping: een dag, twee dagen, een week onder hypnose – en Maria herinnerde zich perioden dat hij twee hele weken dronken was. Het had geen zin Donna's brieven voor hem te verbergen. Ze kwamen niet vaak, maar ze betekenden slechts één ding: dat Donna een middag bij hen zou doorbrengen. Kwam ze zonder dat hij een brief had gezien, dan wist Bandini dat zijn vrouw de brief had verstopt. De laatste keer dat ze dat had gedaan, had Svevo zijn geduld verloren en Arturo een verschrikkelijk pak slaag gegeven omdat hij te veel zout op zijn macaroni had gestrooid, een vergrijp van niets, dat hij onder normale omstandigheden natuurlijk niet eens zou hebben opgemerkt. Maar de brief was weggestopt, en iemand moest ervoor boeten.

Deze laatste brief was gedateerd op de vorige dag, 8 december, het feest van de Onbevlekte Ontvangenis. Terwijl Bandini de regels las, trok zijn gezicht wit weg en het bloed verdween zoals water bij eb wegtrekt in het zand. Er stond:

Mijn lieve Maria,
Vandaag is het glorierijke feest van onze Heilige Moeder Gods, en ik ga naar de kerk om voor jou in je ellende te bidden. Mijn hart gaat naar je uit, en ook naar je arme kinderen, bezocht als ze zijn door de droevige omstandigheden waarin jullie leven. Ik heb onze Heilige Moeder gesmeekt zich over je te ontfermen, en geluk te brengen aan die kleintjes die hun lot niet verdiend hebben. Ik kom zondagmiddag naar Rocklin en ga weer terug met de bus van acht uur. Veel liefs en sympathie voor jou en de kinderen.
Donna Toscana

Zonder naar zijn vrouw te kijken legde Bandini de brief neer en begon op een al verwoeste duimnagel te kluiven. Zijn vingers trokken aan zijn onderlip. Zijn woede begon ergens buiten hem. Ze kon die voelen opkomen vanuit de hoeken van de kamer, van de muren en de vloer, een geur die een draaikolk vormde volstrekt buiten haar om. Alleen om de afleiding trok ze haar blouse recht.

Zwakjes zei ze: 'Svevo –'

Hij stond op, streek haar onder de kin met een demonische glimlach om zijn lippen, om haar te laten weten dat dit vertoon van affectie niet gemeend was, en liep de kamer uit.

'O Marie,' zong hij, zonder muziek in zijn stem, alleen de haat die een liefdeslied uit zijn strot perste, *'O Marie, O Marie! Quanto sonna perdato per te! Fa me dor me! Fa me dor me!* O Marie! O Marie! Hoeveel slaap heb ik om jou verloren! O laat me slapen, mijn liefste Marie!'

Er was geen houden aan. Ze luisterde naar zijn voeten die op de dunne zolen over de vloer spatten als druppels water sissend op de kachel. Ze hoorde het gerucht van zijn gelapte en verstelde overjas toen hij die aanschoot. Daarna een ogenblik stilte, tot ze een lucifer hoorde afstrijken en wist dat hij een sigaar opstak. Zijn razernij was te groot voor haar. Ingrijpen zou hem in de verleiding brengen haar tegen de grond te slaan. Toen zijn stappen de deur naderden hield ze haar adem in: er zat een glazen ruitje in de deur. Maar nee – hij sloot haar zacht en was weg. Zo dadelijk zou hij zijn goede vriend Rocco Saccone ontmoeten, de steenhouwer, het enige menselijke wezen dat ze werkelijk haatte. Rocco Saccone, de jeugdvriend van Svevo Bandini, de whisky-drinkende vrijgezel die geprobeerd had een stokje voor Bandini's huwelijk te steken; Rocco Saccone, die het hele jaar door witte broeken droeg en opschepte over zijn veroveringen op getrouwde Amerikaanse vrouwen die hij elke zaterdagavond maakte op de traditionele danspartijen in de Odd Fellows Hall. Svevo kon ze vertrouwen. Hij zou zijn hersens in een zee van whisky drenken, maar hij zou haar niet ontrouw zijn. Dat wist ze. Of niet? Met een snik zakte ze op een stoel bij de tafel en huilde met haar gezicht in haar handen.

2

Het was kwart voor drie in de achtste klas van de St.-Catharina-school. Zuster Maria Celia, wier glazen oog haar irriteerde in zijn kas, was in een gevaarlijk humeur. Het linkerooglid vertrok voortdurend en onbedwingbaar. Twintig achtsteklassers, elf jongens en negen meisjes, keken naar het trekkende ooglid. Kwart voor drie: nog vijftien minuten. Nellie Doyle, haar dunne jurkje tussen haar billen geklemd, somde de economische gevolgen op van Eli Whitneys katoenzuiveraar, en twee jongens achter haar, Jim Lacey en Eddie Holm, lachten zich dood, alleen niet hardop, om de jurk die klem zat tussen Nellies billen. Keer op keer hadden ze gehoord dat je moest uitkijken als het ooglid over Ouwe Celia's glazen oog begon te trekken, maar moet je Doyle nu zien!

'De economische gevolgen van Eli Whitneys katoenzuiveraar voor de geschiedenis van de katoen waren ongekend,' zei Nellie.

Zuster Maria Celia stond op.

'Holm en Lacey!' zei ze. 'Opstaan!'

Nellie ging beduusd zitten, en de twee jongens stonden op. Laceys knieën kraakten, de klas gniffelde, Lacey grinnikte en kreeg een kleur. Holm hoestte, boog zijn hoofd en keek naar het handelsmerk op zijn potlood. Het was de eerste keer dat hij deze letters las, en het verbaasde hem nogal dat er gewoon Walter Potlood Co. stond.

'Holm en Lacey,' zei zuster Celia. 'Ik heb meer dan genoeg van ginnegappende stomkoppen in mijn klas. Ga zitten!' Toen richtte ze zich tot de hele groep, maar eigenlijk sprak ze alleen tegen de jongens, want de meisjes gaven haar doorgaans weinig last: 'En de eerstvolgende deugniet die ik op onoplettendheid betrap bij het opzeggen van de les blijft tot zes uur na. Ga door, Nellie.'

Nellie stond weer op. Lacey en Holm, stomverbaasd dat ze er zo gemakkelijk waren afgekomen, keken elk opzij naar de andere kant van het klaslokaal, bang dat ze allebei weer in de lach zouden schieten als Nellies jurk nog steeds klem zat.

'De economische gevolgen van Eli Whitneys katoenzuiveraar voor de geschiedenis van de katoen waren ongekend,' zei Nellie.

Fluisterend zei Lacey tegen de jongen voor hem: 'Hé, Holm, moet je Bandini zien.'

Arturo zat aan de overkant van de klas, drie banken van voren. Zijn hoofd was diep gebogen, zijn borst tegen de bank gedrukt, en tegen de inktpot stond een handspiegeltje waarin hij staarde, terwijl hij de punt van een potlood langs zijn neus liet gaan. Hij zat zijn sproeten te tellen. De vorige avond was hij gaan slapen met zijn gezicht vol citroensap; dat heette een wondermiddel om je sproeten mee weg te bleken. Hij telde, drieënnegentig, vierennegentig, vijfennegentig – Een gevoel van de zinloosheid van dit leven overviel hem. Daar zat je dan, hartje winter, de zon liet zich alleen maar eventjes 's middags zien, en het aantal sproeten om zijn neus was met negen stuks gestegen tot een totaal generaal van vijfennegentig. Waar leefde je nog voor? En gisteravond had hij er nog citroensap op gedaan. Wat was dat voor een liegbeest van een mens dat op de gezinspagina van de *Denver Post* van gisteren had geschreven dat sproeten met citroensap verdwenen als sneeuw voor de zon? Sproeten waren al erg genoeg, maar voor zover hem bekend was hij de enige spaghettivreter met sproeten op de hele wereld. Waar had hij die sproeten vandaan? Van welke kant van de familie had hij de koperkleurige tekens van het Beest geërfd? Grimmig begon hij de sproeten rondom zijn linkeroor te turven. Vaag drong het verslag van de economische gevolgen van de katoenzuiveraar van Eli Whitney tot hem door. Josephine Perlotta had de beurt: wie kon het wat schelen wat Perlotta over de katoenzuiveraar te vertellen had? Ze was Italiaans, wat kon die nu weten van katoenzuiveraars? In juni zou hij goddank van deze katholieke pokkeschool afkomen en naar een openbare school gaan, waar de spaghettivreters wat dunner gezaaid waren. Het aantal sproeten bij zijn linkeroor was al opgelopen tot zeventien, twee meer dan gisteren. Die verdomde klotesproeten! Nu sprak er een andere stem over de katoenzuiveraar, een stem als een zachte viool, die hem rillingen over zijn huid bezorgde en de adem benam. Hij legde het potlood neer en zijn mond zakte open. Daar stond zij voor hem – zijn schone Rosa Pinelli, zijn schat, zijn meisje. Leve de katoenzuiveraar! Leve Eli Whitney! O Rosa, wat ben je prachtig. Ik hou van je, Rosa, ik hou van je, ik hou van je!

Ze was dan wel Italiaans, maar daar kon zij niets aan doen. Hij kon er toch ook niets aan doen? O, kijk haar haren! Kijk haar schouders! O Rosa! Zeg het Rosa, vertel ze maar van de katoenzuiveraar. Ik weet dat je me haat, Rosa, maar ik hou van jou, Rosa. Ik hou van jou en op een dag zul je me zien spelen op het middenveld voor de New York Yanks, Rosa. Dan sta ik daar in het middenveld, mijn schat, en ben jij mijn meisje, en je zit in een loge achter het derde honk, en ik ben aan slag en het is de laatste helft van de negende beurt en de Yanks liggen drie runs achter. Maar maak je geen zorgen, Rosa. Ik kom eraan met drie man op honk, en ik kijk naar jou, en jij werpt me een kushand toe, en ik geef die bal een poeier tot óver het net van het middenveld. Ik maak geschiedenis, schat. Jij kust mij en ik maak geschiedenis!

'*Arturo Bandini!*'

Dan heb ik ook geen sproeten meer, Rosa. Die zijn dan weg – ze gaan altijd weg als je groot wordt.

'*Arturo Bandini!*'

Dan verander ik ook mijn naam, Rosa. Dan noemen ze me Banning, Banning Bambino; Art, de Beukende Bandiet –

'*Arturo Bandini!*'

Deze keer hoorde hij het. Het loeien van het publiek bij de World Series was weg. Hij keek op en zag zuster Maria Celia boven zich uit torenen, haar vuist sloeg op de bank, haar linkeroog trilde nerveus. Ze keken allemaal naar hem, zelfs zijn Rosa lachte hem uit, en zijn maag rolde onder hem vandaan toen hij begreep dat hij zijn dagdroom hardop had uitgesproken. De anderen mochten lachen wat ze wilden, maar Rosa – o Rosa, en haar lachen was grievender dan al het andere, en het stak hem, en hij haatte haar; die dochter van een Italiaanse immigrant, een mijnwerker die in die immigrantenstad Louisville werkte; een gore roetmop van een mijnwerker. Salvatore heette hij, Salvatore Pinelli. Zo diep gezonken dat hij in een mijn moest werken. Kon die een muur neerzetten die het jaren en jaren uithield, wel honderd, ja wel tweehonderd jaar? Ha – die spaghettivreter had een pikhouweel, en een lamp op zijn helm, en hij moest diep onder de grond zijn brood verdienen als een kale rijstrat. Hij heette Arturo Bandini, en als iemand hier op school daar iets van zeggen wou, dan hoefde hij zijn mond maar open te doen en hij kon een dreun op zijn gezicht krijgen.

'*Arturo Bandini!*'

'Ja hoor,' zei hij, tergend lijzig. 'Ja hoor, zuster Celia. Ik heb u wel gehoord.'

Toen stond hij op. De klas keek. Rosa fluisterde iets tegen het meisje achter haar, giechelend achter haar hand. Hij zag het gebaar en had tegen haar willen schreeuwen, omdat hij meende dat ze iets had gezegd over zijn sproeten, of de grote lap op de knie van zijn broek, of over zijn te lange haar, of het vermaakte overhemd dat van zijn vader was geweest en hem nooit goed zat.

'Bandini,' zei zuster Celia. 'Je bent zonder enige twijfel een ezel. Je was gewaarschuwd over niet opletten. Zo veel domheid moet beloond worden. Je blijft tot zes uur na.'

Hij ging zitten, en de bel van drie uur schalde hysterisch door de gangen.

Hij was alleen met zuster Celia die aan haar tafel opstellen zat te corrigeren. Ze werkte zonder op hem te letten, het linkerooglid vertrok geïrriteerd. In het zuidwesten brak de zon door, bleek en kwijnend, meer als een matte maan op die wintermiddag. Met zijn kin in zijn hand geleund zat hij naar de koude zon te kijken. Buiten het raam scheen de rij sparrebomen nog kouder te worden onder hun droeve witte last. Ergens op straat hoorde hij een jongen roepen, en het rammelen van sneeuwkettingen. Hij haatte de winter. Hij stelde zich het honkbalveld achter de school voor, diep onder de sneeuw, het schuttinggaas achter de thuisplaat bezwaard onder een fantastische vracht – het hele uitzicht zo verlaten, zo droef. Wat was er nu te doen in de winter? Hij voelde zich haast tevreden dat hij daar zo zat, en zijn straf was een lachertje. Je kon per slot net zo goed hier als ergens anders zitten.

'Wat zal ik voor u doen, zuster?' vroeg hij.

Zonder van haar werk op te kijken antwoordde ze: 'Stil blijven zitten en je mond houden – als dat kan.'

Met een lijzig lachje zei hij: 'Goed zuster.'

Tien minuten lang zat hij stil en hield zijn mond.

'Zuster,' zei hij. 'Zal ik het bord schoonmaken?'

'Daar wordt een mannetje voor betaald,' zei ze. 'Ik mag wel zeggen dat hij wordt overbetaald.'

'Zuster,' zei hij. 'Houdt u van honkbal?'

'Voetbal is mijn sport,' zei ze. 'Niets voor mij, honkbal. Ik verveel me altijd dood.'

'Dat komt omdat u het fijne van het spel niet weet.'

'Stil nu, Bandini,' zei ze. 'Alsjeblieft.'

Hij ging verzitten, legde zijn kin op zijn armen en bekeek haar aandachtig. Het linkerooglid vertrok zonder ophouden. Hoe zou ze aan dat glazen oog gekomen zijn? Hij had altijd al zo'n idee gehad dat ze eens een bal in haar gezicht had gekregen, maar nu was hij er zo goed als zeker van. Ze was op de St.-Catharina gekomen uit Fort Dodge, Iowa. Wat voor honkbal zouden ze in Iowa spelen, en zouden er daar veel Italianen zijn?

'Hoe is het met je moeder?' vroeg ze.

'Weet ik niet. Wel goed, denk ik.'

Voor het eerst hief ze haar gezicht op en keek hem aan. 'Hoe bedoel je, *denk ik*? Weet je dat niet eens? Je moeder is een lieve vrouw, een prachtvrouw. Ze heeft de ziel van een engel.'

Voor zover hij wist waren hij en zijn broers de enige niet-betalende leerlingen op die katholieke school. Het schoolgeld was maar twee dollar per maand per kind, maar dat betekende zes per maand voor hem en zijn twee broers, en het werd nooit betaald. Het was een onderscheid dat hem diep griefde, het besef dat anderen wel betaalden en hij niet. Een enkele keer deed zijn moeder een paar dollar in een envelop en vroeg hem die aan de moeder-overste af te geven, als aflossing. Dat stond hem nóg meer tegen. Hij weigerde altijd heftig. Maar August vond het niet erg om de sporadische enveloppjes af te geven; die keek integendeel zelfs naar de gelegenheid uit. Hij haatte August omdat hij van hun armoede een punt maakte, om zijn bereidheid de nonnen eraan te herinneren dat ze arme mensen waren. Hij had trouwens nooit naar de nonnenschool gewild. Het enige wat het er nog dragelijk maakte was honkbal. Toen zuster Celia zei dat zijn moeder zo'n mooie ziel had, wist hij dat ze bedoelde dat zijn moeder zo flink was om zich op te offeren en zich dingen te ontzeggen voor die envelopjes. Maar wat hem betrof stak er geen moed in. Het was akelig, het was afschuwelijk, het onderscheidde hem en zijn broers van de anderen. Nu ja, dat wist hij wel niet zeker – maar het was er, het gevoel dat hen in zijn ogen anders maakte dan alle anderen. Op de een of andere manier maakte het deel uit van een patroon, waartoe ook zijn sproeten behoorden, zijn haar dat nodig geknipt moest worden, de lap op zijn knie, het feit dat hij Italiaan was.

'Gaat je vader 's zondags naar de mis, Arturo?'

'Jazeker,' zei hij.

Het kneep zijn keel dicht. Waarom moest hij daar nu om liegen? Zijn vader ging alleen op kerstmorgen naar de mis, en een enkele maal op paaszondag. Gelogen of niet, het deed hem plezier dat zijn vader zijn neus optrok voor de mis. Hij herinnerde zich zijn vaders argument. Svevo had gezegd: Als God overal is, waarom moet ik dan op zondag naar de kerk? Waarom mag ik niet naar de Imperial Poolhall? Is God dan niet ook daar? Zijn moeder rilde van afgrijzen bij dit staaltje theologisch denken, maar hij herinnerde zich ook hoe zwak haar antwoord was, hetzelfde antwoord dat hij uit de catechismus had geleerd, een antwoord dat zijn moeder jaren geleden uit diezelfde catechismus had geleerd. Het was onze christenplicht, zei de catechismus. En wat hemzelf betrof, soms ging hij naar de mis en soms niet. De keren dat hij niet ging beklemde hem een grote angst, en voelde hij zich bang en ellendig totdat hij zijn hart had gelucht in de biechtstoel.

Om half vijf was zuster Celia klaar met corrigeren. Hij zat daar, moe, uitgeput, murw van zijn eigen verlangen om iets te doen, het gaf niet wat. Het lokaal was bijna donker. De maan kwam uit een sombere oosterkim gewankeld en het zou een witte maan worden als ze zich nog ooit losmaakte. Het klaslokaal stemde hem triest in het halve licht. Het was een ruimte voor nonnen om in te lopen, op stille dikke zolen. De lege banken spraken treurig van de kinderen die weg waren, en zijn eigen bank scheen met hen mee te leven, haar warme intimiteit zei hem naar huis te gaan en haar alleen te laten met de andere. Ingekerfd en bekrast met zijn initialen, bespat en beklad met inkt, was de bank hem even zat als hij de bank. Nu haatten ze elkaar haast, ofschoon elk van hen zo tolerant was voor de ander.

Zuster Celia stond op en pakte haar papieren bij elkaar.

'Om vijf uur mag je weg,' zei ze. 'Maar op één voorwaarde –'

Zijn lethargie vernietigde alle nieuwsgierigheid naar wat die voorwaarde dan wel wezen mocht. Onderuitgezakt, met zijn benen om de bank voor hem geslingerd, kon hij alleen maar stikken in zijn onlust.

'Ik wil dat je om vijf uur eerst naar het tabernakel gaat, en dat je de Maagd Maria vraagt om zegen voor je moeder en al het geluk dat ze verdient – het arme mens.'

Toen ging ze weg. Het arme mens. Zijn moeder – het arme mens. Het riep een wanhoop in hem op die hem de tranen in de ogen joeg. Overal was het eender, altijd zijn moeder – het arme mens, altijd arm en arm, altijd dat, altijd dat woord, altijd in hem en om hem, en plotseling liet hij zich gaan en huilde, snikte het 'arm' uit zich, jankend en snotterend, niet daarom, niet om haar, om zijn moeder, maar om Svevo Bandini, om zijn vader, de blik van zijn vader, de knoestige handen van zijn vader, om zijn vaders metselgereedschap, de muren die zijn vader had gebouwd, de trappen, de kroonlijsten, de asgaten en de kathedralen, en ze waren allemaal zo prachtig, om het gevoel in hem als zijn vader van Italië zong, van de Italiaanse hemel, de baai van Napels.

Om kwart voor vijf was hij uitgehuild. De klas was nu bijna volkomen donker. Hij veegde met zijn mouw langs zijn neus en voelde een voldoening in zijn hart opkomen, een goed gevoel, een innerlijke rust waardoor de laatste vijftien minuten een kleinigheid werden. Hij wilde het licht aandraaien, maar Rosa's huis stond aan de overkant van de straat achter een onbebouwd terrein, en de ramen van de school keken uit op haar achterveranda. Ze zou misschien het licht zien branden en zich herinneren dat hij nog steeds in de klas zat.

Rosa, zijn meisje. Ze haatte hem, maar ze was toch zijn meisje. Wist ze dat hij verliefd op haar was? Haatte ze hem daarom? Kon ze de geheimzinnige dingen zien die in hem omgingen, en lachte ze hem daarom uit? Hij liep naar het raam en zag het licht in de keuken van Rosa's huis. Ergens onder dat licht liep en ademde Rosa. Misschien zat ze nu wel haar huiswerk te doen, want Rosa was een vlijtige leerling en had de beste cijfers van de klas. Hij wendde zich af van het raam en liep naar haar bank. Die was anders dan alle andere in de klas: schoner, meisjesachtiger, het blad glanzender en gelakter. Hij ging op haar plaats zitten en de sensatie wond hem op. Zijn handen tastten over het hout en het vakje waar ze haar boeken bewaarde. Zijn vingers vonden een potlood. Hij bekeek het nauwkeurig; het droeg de vage sporen van Rosa's tanden. Hij kuste het. Hij kuste de boeken die hij vond, allemaal even netjes gekaft in frisruikend wasdoek.

Om vijf uur liep hij in een zwijmelroes van liefde, terwijl Rosa Rosa Rosa van zijn lippen stroomde, de trap af de winteravond in. De kerk van St.-Catharina was pal naast de school. Rosa, ik hou van je!

In trance liep hij het in schemerduister gehulde middenpad af, het heilige water nog koud op vingertoppen en voorhoofd, zijn voetstappen echoënd in het koor, de geur van wierook, de geur van duizenden begrafenissen en doopplechtigheden, de zoete geur van de dood en de scherpe lucht van de levenden dooreen in zijn neus, de stille ingehouden adem van brandende kaarsen, de echo van zijn eigen stappen, op zijn tenen langs het hele lange middenpad, en in zijn hart Rosa.

Hij knielde voor het altaar en trachtte te bidden zoals hem was bevolen, maar zijn gedachten schemerden en zweefden om het droombeeld van haar naam, en opeens merkte hij dat hij een zonde beging, een grote, afschuwelijke zonde in de tegenwoordigheid van het Allerheiligste, want hij dacht slecht aan Rosa, op een manier die de catechismus verbood. Hij kneep zijn ogen stijf dicht en probeerde het kwaad uit te bannen, maar het kwam des te sterker terug, en nu gingen zijn gedachten over een tafereel van ongeëvenaarde zondigheid, iets waar hij in zijn hele leven niet aan had gedacht, en hij hijgde naar adem, niet alleen van afgrijzen van zijn ziel in het aangezicht van God, maar ook van de schokkende vervoering van die nieuwe gedachte. Hij hield het niet uit. Het kon hem zijn leven kosten; God kon hem ter plekke doden. Hij stond op, sloeg een kruis, en vluchtte in paniek op een holletje de kerk uit, door de zondige gedachte als op vleugels achtervolgd. Toen hij de ijskoude straat bereikte verwonderde het hem dat hij het er levend had afgebracht, want aan de vlucht langs dat lange middenpad scheen geen eind te komen. Er was geen spoor meer van de slechte gedachte in zijn hoofd toen hij eenmaal op straat stond en de eerste sterren zag. Het was er te koud voor. Na een ogenblik al rilde hij, want hoewel hij drie truien aan had bezat hij jas noch wanten, en hij sloeg met zijn armen om warm te blijven. Het was een omweg van een heel blok, maar hij wilde toch langs Rosa's huis lopen. De bungalow van de Pinelli's lag beschut onder populieren, op een meter of dertig van de weg. De blinden van de twee ramen aan de voorkant waren naar beneden. Staande op het pad met zijn armen over elkaar en zijn handen onder zijn oksels om ze warm te houden, keek hij uit naar een levensteken van Rosa, haar silhouet als ze door het gezichtsveld van het venster liep. Hij stampte met zijn voeten, zijn adem kwam in witte wolken. Geen Rosa. Hij boog zijn koude gezicht over de diepe sneeuw naast het pad om de kleine voetafdruk van een meisje te onderzoeken. Van Rosa – van wie anders dan Rosa, in deze tuin. Zijn koude vingers krabden de sneeuw rondom de afdruk bij elkaar, en met beide handen schepte hij haar op en droeg haar met zich mee de straat uit...

Bij zijn thuiskomst trof hij zijn broers al aan tafel in de keuken. Alweer eieren. Zijn lippen vertrokken terwijl hij boven de kachel zijn handen stond te warmen. August sprak met zijn mond vol brood.

'Ik heb hout gehaald, Arturo. Jij moet kolen halen.'

'Waar is mamma?'

'In bed,' zei Federico. 'Oma Donna komt.'

'Papa al dronken?'

'Hij is er niet.'

'Waarom blijft oma toch komen?' zei Federico. 'Papa wordt altijd dronken.'

'Teringwijf,' zei Arturo.

Federico was gek op lelijke woorden. Hij lachte. 'Gemeen oud teringwijf,' zei hij.

'Dat is een zonde,' zei August. 'Twee zelfs.'

Arturo zei smalend: 'Hoe bedoel je, twee.'

'Eén omdat je een lelijk woord zegt, en nog een omdat je je vader en moeder niet eert.'

'Oma Donna is mijn moeder niet.'

'Ze is je grootmoeder.'

'Ze kan me de bout hachelen.'

'Nóg een zonde.'

'Ach, hou je bek.'

Toen zijn handen tintelden pakte hij de grote en de kleine emmer van achter de kachel en trapte de achterdeur open. Voorzichtig zwaaiend met de emmers liep hij het keurig gebaande pad af naar de kolenschuur. De kolenvoorraad begon al te slinken. Dat betekende voor zijn moeder een uitbrander van Bandini, die nooit begreep waarom er zo veel kolen verstookt werden. De kolenhandel had, dat wist hij, zijn vader verder krediet geweigerd. Hij vulde de emmers en verwonderde zich over zijn vaders vindingrijkheid in het zonder geld gedaan krijgen van dingen. Geen wonder dat zijn vader zich bedronk. Hij zou zich ook bedrinken als hij dingen moest blijven kopen zonder geld.

Het geluid van de kolen in de blikken emmers wekte Maria's kippen in de ren aan de overkant van het pad. Ze waggelden slaperig de maanovergoten tuin in en hapten hongerig naar de jongen die in de deuropening van de schuur gebukt stond. Ze klokten een groet, hun malle koppen staken door de gaten in het kippegaas. Hij hoorde ze, kwam overeind en keek ze vol haat aan.

'Eieren,' zei hij. ''s Morgens eieren, 's middags eieren, 's avonds eieren.'

Hij zocht een stuk kool zo groot als zijn vuist, deed een stap achteruit en schatte de afstand. De oude bruine kip het dichtste bij kreeg de klap in haar nek toen de suizende klont bijna haar kop eraf scheurde en caramboleerde tegen het kippenhok. Ze wankelde, viel, krabbelde onvast weer op, en viel opnieuw terwijl de andere krijsten van angst en in het hok verdwenen. De oude bruine kip stond weer op haar poten, draaierig dansend in het besneeuwde gedeelte van de tuin, terwijl een zigzaggend helderrood spoor grillige patronen schilderde in de sneeuw. Ze stierf langzaam, haar bloedende kop met zich meeslepend in een bergje opgewaaide sneeuw dat tegen de schutting opliep. Hij zag het lijden van de vogel aan met een kille voldoening. Toen er voor de laatste maal een rilling door haar voer gromde hij en droeg de twee emmers kolen naar de keuken. Een ogenblik later kwam hij terug om de dode kip op te rapen.

'Waar heb je dát nou voor gedaan?' zei August. 'Het is een zonde.'

'Hou jij je smoel,' zei hij en stak zijn vuist omhoog.

3

Maria was ziek. Federico en August kwamen op hun tenen de donkere slaapkamer in waar ze lag, zo koud van de winter, zo warm van de geur van de dingen op de toilettafel, de ijle geur van mamma's haar waarneembaar, de sterke lucht van Bandini, van zijn kleren ergens in de kamer. Maria opende haar ogen. Federico stond op huilen. August keek verstoord.

'We hebben honger,' zei hij. 'Waar doet het pijn?'

'Ik zal opstaan,' zei ze.

Ze hoorden haar gewrichten kraken, zagen het bloed terugsijpelen in de witte helft van haar gezicht, bespeurden de mufheid van haar lippen en de wanhoop van haar wezen. August haatte het. Opeens had zijn eigen adem ook die muffe smaak.

'Waar doet het pijn, mamma?'

Federico zei: 'Waarom moet oma Donna ook zo nodig hier komen?'

Ze ging overeind zitten, voelde hoe de misselijkheid haar bekroop. Ze klemde haar tanden op elkaar om een plotseling kokhalzen te bedwingen. Ze was altijd ziek geweest, maar haar ziekte was er een zonder symptoom, een pijn zonder bloed of buil. De kamer draaide van haar radeloosheid. De broertjes voelden beiden een verlangen om naar de keuken te vluchten, waar het licht en warm was. Schuldbewust liepen ze de kamer uit.

Arturo zat met zijn voeten in de oven, ondersteund door houtblokken. De dode kip lag in een hoek, een straaltje rood liep uit haar snavel. Toen Maria binnenkwam zag ze haar zonder verrassing.

Arturo keek naar Federico en August, en die keken naar hun moeder. Het viel hen tegen dat ze niet kwaad was om de dode kip.

'Jullie gaan allemaal meteen na het eten in bad,' zei ze. 'Oma komt morgen.'

De broertjes zetten een hoge keel op. Er was geen bad. Wassen betekende emmers water in een tobbe op de keukenvloer, een steeds vervelender karwei voor Arturo, die gestaag groeide en zich niet langer gemakkelijk in de tobbe kon bewegen.

Meer dan veertien jaar lang had Svevo Bandini bij herhaling beloofd een badkuip te installeren. Maria herinnerde zich nog de eerste dag dat ze met hem het huis betrad. Toen hij haar liet zien wat hij weids betitelde als de badkamer, had hij er vlug aan toegevoegd dat hij er de volgende week een bad in zou laten maken. Na veertien jaar verzekerde hij dat nog, en op dezelfde manier.

'Volgende week,' zei hij dan, 'zal ik iets aan dat bad laten doen.'

De belofte was een familietraditie geworden. De jongens maakten zich er vrolijk over. Jaar in jaar uit vroegen Federico of Arturo: 'Papa, wanneer krijgen we nou een echt bad?' en dan zei Bandini met diepe overtuiging 'Volgende week', of 'Aanstaande maandag'.

Als ze lachten wanneer ze hem dat telkens weer hoorden zeggen, keek hij ze woedend aan, legde hun het zwijgen op en schreeuwde: 'Wat is daar verdomme zo grappig aan?' Zelfs hij kankerde en vloekte op de tobbe in de keuken, als hij in bad ging. De jongens konden hem zijn lot in dit leven horen verwensen, en zijn heftige betuigingen.

'Volgende week, ik zweer het bij God, volgende week!'

Terwijl Maria de kip voor het eten klaarmaakte, riep Federico 'Ik mag het pootje!' en verdween met een zakmes achter het fornuis. Gehurkt op de kist met aanmaakhout sneed hij zeilscheepjes om mee in de tobbe te nemen. Hij sneed ze en stapelde ze op, wel tien, twaalf scheepjes, grote en kleine, genoeg hout om zijn tobbe voor de helft mee te vullen, nog gezwegen van de waterverplaatsing van zijn eigen lijf. Hoe meer hoe liever: dan speelde hij zeeslagje, al moest hij op zijn eigen vloot gaan zitten.

August zat ineengedoken in de hoek de Latijnse liturgie van de misdienaar te leren. Pater Andreas had hem het gebedenboek gegeven als beloning voor bijzondere vroomheid bij het heilig misoffer, een vroomheid die een triomf van puur fysiek uithoudingsvermogen was, want terwijl Arturo, die ook misdienaar was, altijd van de ene knie op de andere ging liggen bij het langdurig knielen tijdens de hoogmis, of zich krabde, of gaapte, of vergat de responsies te zeggen op de woorden van de priester, bezondigde August zich nimmer aan dergelijke oneerbiedigheden. August was zelfs bijzonder trots op een min of meer onofficieel record dat hij nu hield in de vereniging van misdienaars. Hij kon namelijk langer dan welke andere acoliet ook rechtop knielen met gevouwen handen. De andere misdienaars erkenden volmondig Augusts suprematie op dit gebied, en niet een van de veertig leden van de organisatie vond het de moeite hem uit te dagen. Dat zijn talent als marathonknieler onbetwist bleef was de kampioen gedurig een doorn in het oog.

Augusts groot vertoon van vroomheid, zijn efficiënte meesterschap als misdienaar, waren voor Maria een bron van eeuwigdurende voldoening. Als de nonnen of parochieleden iets van Augusts ritualistische neigingen zeiden, straalde ze. Nimmer sloeg ze een zondagsmis over als August dienst had. Geknield in de eerste bank, aan de voet van het hoogaltaar, verhief de aanblik van haar tweede zoon in toog en superplie haar tot de hoogste vervulling. Het fladderen van zijn kleren onder het lopen, de precisie waarmee hij de mis bediende, zijn stille voeten op het weelderige rode tapijt waren droom en mijmering, het paradijs op aarde. Eens op een dag zou August priester zijn; al het andere zonk daarbij in het niet; ze kon lijden en slaven, sterven en nogmaals sterven, maar haar schoot had God een priester gebaard, haar geheiligd, een uitverkorene van haar gemaakt, moeder van een priester, verwant aan de Heilige Maagd...

Voor Bandini was het iets anders. August was heel vroom en wilde graag priester worden – si. Maar *chi copro!* Wat drommel, dat ging nog wel over. Het schouwspel van zijn zoons als misdienaars bezorgde hem meer vermaak dan geestelijke voldoening. De zeldzame keren dat hij naar de mis ging en hen zag, doorgaans op kerstmorgen, wanneer in de imposante plechtigheid het katholicisme zijn opperste uitdrukking vond, keek hij niet zonder een verstolen lachje naar zijn drie zoons in de statige processie langs het middenpad. Dan zag hij hen niet als gewijde kinderen, gehuld in kostbare kant en in diepe communie met de Allerhoogste; dat gewaad maakte het contrast des te groter, en hij zag hen gewoon, scherper, zoals ze werkelijk waren, niet alleen zijn zoons maar ook de andere jongens – wilden, oneerbiedige jochies, ongemakkelijk in hun kriebelende zware togen. De aanblik van Arturo, benauwd in een te strak boord van celluloid hoog tegen zijn oren, zijn sproetig gezicht rood en opgezet, zijn verschroeiende haat tegen de hele ceremonie, deed Bandini hardop in de lach schieten. En Federico, die bleef zichzelf, een dondersteen ondanks die fraaie plunje. Het verzalig zuchten van de vrouwen ten spijt kende Bandini de gêne, het ongerief, de vreselijke verveling van de jongens. August wilde priester worden; ach, dat zou wel overgaan. Hij zou opgroeien en dat allemaal vergeten. Hij zou opgroeien en een man worden, of hij, Svevo Bandini, zou hem zijn verdomde kop afslaan.

Maria greep de dode kip bij de poten. De jongens knepen hun neus dicht en vluchtten de keuken uit terwijl ze haar opensneed en schoonmaakte.

'Ik krijg het pootje,' zei Federico.

'We hebben je daarnet wel gehoord,' zei Arturo.

Hij was somber gestemd, want zijn geweten riep hem luide ter verantwoording over de vermoorde kip. Had hij een doodzonde begaan, of was het doden van een kip een vergeeflijke zonde? Liggend op de vloer in de huiskamer, de hitte van de potkachel verzengend tegen de ene kant van zijn lijf, overdacht hij bedrukt de drie elementen waaruit volgens de catechismus een doodzonde bestond. Ten eerste een groot kwaad, ten tweede voldoende kennis, ten derde volledige wilsinstemming.

Zijn gedachten tolden rond in zwartgallige kringen. Hij herinnerde zich het verhaal van zuster Justinus over de moordenaar die al zijn wakende en slapende uren het verwrongen gezicht voor ogen had van de man die hij had vermoord; de verschijning tartte hem, beschuldigde hem, totdat de moordenaar in doodsnood te biecht was gegaan en zijn zwarte zonde bij God had uitgestort.

Zou hij ook zo moeten lijden? Die tevreden, niets vermoedende kip. Een uur geleden leefde de vogel nog, in harmonie met de wereld. Nu was ze dood, in koelen bloede vermoord door zijn eigen hand. Zou hij zijn leven lang, tot het einde toe, achtervolgd worden door het gezicht van een kip? Hij keek naar de muur, knipperde met zijn ogen, hapte naar adem. Daar was zij – de dode kip staarde hem aan, met een duivels kakelen. Hij sprong overeind, haastte zich naar de slaapkamer, deed de deur op slot: 'O Heilige Maagd, geef me nog een kans! Ik deed het niet met opzet! Ik zweer bij God dat ik niet weet waarom ik het heb gedaan! O alsjeblieft, lieve kip! Lieve kip, ik heb er spijt van dat ik je heb doodgemaakt!'

Hij stortte zich in een roffelvuur van weesgegroetjes en onzevaders tot zijn knieën zeer deden, net zolang tot hij, na zorgvuldig elk gebed geturfd te hebben, besloot dat vijfenveertig weesgegroetjes en negentien onzevaders genoeg waren voor oprecht berouw. Maar zijn bijgeloof over het getal negentien dwong hem nog een onzevader te prevelen om de twintig vol te maken. Toen, omdat de gedachte aan eventuele krenterigheid hem bleef dwarszitten, deed hij er nog twee weesgegroetjes en nog twee onzevaders bovenop, enkel om buiten alle twijfel te bewijzen dat hij niet bijgelovig was en niet in getallen geloofde, want de catechismus veroordeelde met klem elke soort bijgeloof, van welke aard ook.

Hij was wellicht nog langer blijven bidden als zijn moeder hem niet aan tafel had geroepen. Midden op de keukentafel had ze een schaal gezet, hoog opgetast met bruingebraden kip. Federico krijste en timmerde met een vork op zijn bord. De vrome August boog zijn hoofd en prevelde een tafelgebed. Lang nadat hij was uitgesproken hield hij zijn pijnlijke nek gebogen, verwonderd dat zijn moeder er niets van zei. Federico stootte Arturo aan, en maakte een lange neus tegen August. Maria stond met haar rug naar hen toe. Ze draaide zich om, de juskom in haar hand, en zag August, zijn gouden hoofd zo eerbiedig gebogen.

'Goed zo, August,' glimlachte ze. 'Goed zo! God zegene je!'

August hief zijn hoofd op en sloeg een kruis. Maar toen had Federico al een aanval op de schaal met kip gedaan en beide pootjes waren verdwenen. Op een ervan zat Federico te kluiven, het andere had hij tussen zijn benen verstopt. Augusts ogen zochten geërgerd de tafel af. Hij verdacht Arturo, die met een lusteloze honger aan tafel zat. Toen ging Maria zelf zitten. Zwijgend smeerde ze margarine op een boterham.

Arturo's lippen waren in een grimas opeengeklemd terwijl hij naar de knapperige stukken kip zat te staren. Een uur geleden was die kip nog blij en tevreden geweest, zich niet bewust van de moord waarvan ze het slachtoffer zou worden. Hij wierp een blik op Federico, wiens mond droop van het vet terwijl hij zijn tanden in het malse vlees zette. Arturo kokhalsde. Maria schoof de schaal naar hem toe.

'Arturo – je eet niet.'

De punt van zijn vork zocht met geveinsde concentratie. Hij vond een eenzaam stukje, een miserabel stukje dat er nog miserabeler uitzag toen hij het op zijn bord legde – het maagje. God, laat me alsjeblieft nooit meer onaardig tegen dieren zijn. Hij begon voorzichtig te knabbelen. Niet gek. Het smaakte verrukkelijk. Hij nam nog een hap. Hij glimlachte breed. Hij reikte naar meer. Hij at met animo, peuterde op zoek naar wit vlees. Hij herinnerde zich waar Federico dat andere pootje had verstopt. Zijn hand gleed onder tafel en hij pikte het zonder dat iemand het merkte, nam het weg van Federico's schoot. Toen hij het pootje op had, lachte hij en gooide het bot op het bord van zijn broertje. Federico keek ernaar, tastte geschrokken naar zijn knieën: 'Verdomme,' zei hij. 'Arturo, je bent een gemene klootzak.'

August wierp zijn broertje een verwijtende blik toe, en schudde zijn gele hoofd. Verdomme was een zondig woord; misschien geen doodzonde, misschien slechts een vergeeflijke zonde, maar toch, een zonde. Hij was er diepbedroefd over en o zo blij dat hij niet zulke lelijke woorden zei zoals zijn broers.

Het was geen grote kip. Ze likten de schaal midden op tafel uit, en toen er alleen nog maar botjes lagen knaagden Arturo en Federico die open en zogen het merg eruit.

'Goed dat papa niet thuiskomt,' zei Federico. 'Anders hadden we wat moeten overlaten.'

Maria glimlachte tegen hen; hun gezicht zat onder de jus, stukjes kip tot in Federico's haar. Ze veegde ze weg en waarschuwde hen voor slechte manieren als oma Donna er was.

'Als je net zo eet als vanavond, krijg je geen kerstcadeautje van haar.'

Een zinloos dreigement. Kerstcadeautjes van oma Donna! Arturo gromde. 'Ze geeft altijd alleen maar pyjama's. En wie wil er in godsnaam een pyjama?'

'Wedden dat papa al dronken is,' zei Federico. 'Hij en Rocco Saccone.'

Maria's knokkels werden wit en strak. 'Die smeerlap,' zei ze. 'Ik wil zijn naam aan tafel niet horen!'

Arturo wist waarom zijn moeder Rocco haatte. Maria was bang voor hem, zijn nabijheid was haar weerzinwekkend. Haar haat tegen zijn levenslange vriendschap met Bandini verflauwde nooit. Ze waren beiden jongens geweest in de Abruzzen. In hun jonge jaren, voor haar huwelijk, hadden ze samen vrouwen gekend, en als Rocco op bezoek was hadden hij en Svevo zo'n manier van drinken en grinniken zonder te spreken, van mompelen in een Italiaans streekdialect, en het dan uitschateren van het lachen, een heftige taal van grommen en herinneringen, wemelend van verzwegen bedoelingen en toch zonder betekenis, altijd uit een wereld waarin ze nooit had thuisgehoord en ook nooit zou kunnen thuishoren. Wat Bandini voor zijn huwelijk had gedaan liet haar zogenaamd onverschillig, maar deze Rocco Saccone met zijn vuile lachje waaraan Bandini met welbehagen meedeed, was een geheim uit het verleden dat ze o zo graag wilde betrappen, om het voor eens en voor altijd te ontbloten, want ze scheen te beseffen dat wanneer haar eenmaal de geheimen uit die vroege jaren geopenbaard waren, die eigen taal van Svevo Bandini en Rocco Saccone voor altijd zou zijn uitgestorven.

Zonder Bandini was het huis niet hetzelfde. Na de maaltijd lagen de jongens zat van het eten op de grond in de huiskamer, naast de lekker warme kachel in de hoek. Arturo voerde hem kolen, en hij snoof en ronkte gezellig, lachte zacht terwijl ze er breeduit omheen lagen, hun honger gestild.

In de keuken waste Maria de vaat, in het besef dat er één bord, één kopje minder op te ruimen waren. Toen ze ze terugzette in de glazenkast scheen Bandini's zware, gedeukte mok, groter en plomper dan de andere, een soort gekwetste trots uit te stralen, omdat hij ditmaal ongebruikt was gebleven. In de la waar het bestek lag blonk Bandini's mes, zijn lievelingsmes, het scherpste, gemeenste tafelmes van alle.

Het huis verloor nu zijn identiteit. Een losse dakspaan fluisterde sarcastisch tot de wind; de elektriciteitsdraden schuurden tegen de gevel van de achterveranda, honend. De wereld van de onbezielde dingen vond haar stem, onderhield zich met het oude huis, en het huis kakelde lustig als een oud wijf over de onvrede binnen zijn muren. De planken onder haar voeten piepten hun akelig leedvermaak.

Bandini kwam vannacht niet thuis.

Het besef dat hij niet zou thuiskomen, de wetenschap dat hij vermoedelijk ergens dronken in de stad was, opzettelijk wegbleef, was angstaanjagend. Alles wat er maar lelijk en destructief op aarde was, scheen deze kennis te delen. Ze voelde al hoe de krachten van duisternis en verschrikking zich om haar samentrokken, in macabere formatie het huis beslopen.

Nu de vaat was gedaan en opgeruimd, de gootsteen geboend, de vloer geveegd was, stierf haar dag een abrupte dood. Nu was er niets meer dat haar bezighield. Veertien jaar lang had ze onder geel lamplicht zo veel naai- en verstelwerk gedaan dat haar ogen heftig in opstand kwamen zodra ze het nog probeerde; hoofdpijn maakte zich van haar meester en ze moest het opgeven tot er weer daglicht was.

Soms, als ze er een in handen kreeg, sloeg ze een damestijdschrift open; die glimmende, kleurige damesbladen die een Amerikaans vrouwenparadijs uitschreeuwden: prachtige meubels, prachtige japonnen; blonde vrouwen die romantiek vonden in gist; elegante vrouwen die wc-papier bespraken. Die damesbladen, die plaatjes vertegenwoordigden die vage categorie van de 'Amerikaanse vrouw'. Ze sprak altijd met ontzag over wat 'Amerikaanse vrouwen' deden.

Ze geloofde in die plaatjes. Urenlang kon ze in de oude schommelstoel bij het raam in de huiskamer zitten, eindeloos de pagina's omslaand van een damesblad, werktuiglijk aan haar vinger likkend, het blad omslaand. Verdoofd bleef ze achter, overtuigd van haar afgescheiden-zijn van die wereld van 'Amerikaanse vrouwen'.

Dat was een kant van haar die Bandini tot bittere spot dreef. Hij immers was zuiver Italiaans, van een boerenafkomst die generaties ver terugging. En toch, nu hij zijn staatsburgerschap had, beschouwde hij zichzelf nooit als een Italiaan. Nee, hij was een Amerikaan; een enkele maal gonsde het sentiment in zijn hoofd en stofte hij graag luidkeels op zijn geboorte; maar in elk praktisch opzicht was hij een Amerikaan, en als Maria tegen hem sprak over wat Amerikaanse vrouwen deden en droegen, als ze vertelde wat een buurvrouw uitvoerde, 'die Amerikaanse verderop in de straat', werd hij razend. Want hij was zeer gevoelig voor ras- en klasseverschillen, voor het lijden dat die met zich meebrachten, en kantte zich er bitter tegen.

Hij was metselaar, en voor hem bestond er op de hele wereld geen heiliger roeping. Je kon koning zijn, een veroveraar, maar wat je ook was, een huis had je nodig; en als je bij je verstand was zou het een stenen huis zijn; en vanzelfsprekend gebouwd door een vakbondslid, en volgens de loonschaal van de vakbond. Daar ging het om.

Maar Maria, verzonken in het dromenland van een damesblad, staarde zuchtend naar elektrische strijkijzers en stofzuigers, en automatische wasmachines en elektrische fornuizen; ze hoefde de bladzijden van die sprookjeswereld maar dicht te slaan en om zich heen te kijken: de harde stoelen, het versleten kleed, de koude kamers. Ze hoefde haar hoofd maar om te draaien en de palm van haar op het wasbord vereelte hand te bekijken om te weten dat ze als het erop aankwam geen Amerikaanse vrouw was. Niets aan haar, haar huid, noch haar handen, noch haar voeten, noch het voedsel dat ze at of de tanden die het kauwden – niets aan haar, niets, gaf haar enige verwantschap met de 'Amerikaanse vrouw'.

In haar hart had ze boek noch damesblad nodig. Ze had haar eigen manier om te ontsnappen, haar eigen weg tot tevredenheid: haar rozenkrans. Dat snoertje witte kralen, de schakeltjes op tien, twaalf plaatsen doorgesleten en weer bijeengehaald met eindjes wit garen dat op zijn beurt regelmatig brak, was, kraal voor kraal, haar stille vlucht uit deze wereld. Wees gegroet Maria, vol van genade, de Heer is met u. En Maria begon op te stijgen. Kraal voor kraal zonk het leven onder haar weg. Wees gegroet Maria, wees gegroet Maria. Een droom zonder slaap omving haar. Passie zonder vlees wiegde haar. Liefde zonder dood neuriede de melodie van het geloof. Ze was weg, ze was vrij, ze was niet langer Maria, Amerikaans of Italiaans, arm of rijk, met of zonder elektrische wasmachines en stofzuigers: hier was het land dat alles had. Wees gegroet Maria, wees gegroet Maria, telkens en telkens weer, duizendmaal, honderdduizendmaal, gebed na gebed, de slaap van het lichaam, de vlucht van de geest, de dood van de herinnering, het wegglijden van pijn, de diepe stille mijmerij van het geloof. Wees gegroet Maria, wees gegroet Maria. Dit was waarvoor ze leefde.

Vanavond was de vluchtweg van de kralen, de vreugde die de rozenkrans haar bracht, al in haar gedachten lang voor ze het licht in de keuken uitdraaide en naar de huiskamer liep, waar haar ronkende, lodderige zoons languit op de vloer lagen. Het maal was Federico te veel geweest. Nu al was hij diep in slaap. Hij lag met zijn gezicht opzij gevallen, zijn mond wijd open. August, plat op zijn buik, staarde wezenloos in Federico's mond en bedacht dat hij, als hij eenmaal tot priester was gewijd, beslist een rijke parochie zou zoeken en elke avond kip eten.

Maria zakte in de schommelstoel bij het raam. Het vertrouwde kraken van haar knieën deed Arturo in elkaar krimpen van ergernis. Ze trok de kralen uit haar schortzak. Haar donkere ogen sloten zich en de vermoeide lippen bewogen in een hoorbaar, intens fluisteren.

Arturo rolde opzij en bestudeerde het gezicht van zijn moeder.

Zijn hersens werkten snel. Zou hij haar storen en om een dubbeltje voor de bioscoop vragen, of tijd en moeite sparen door naar de slaapkamer te gaan en het te stelen? Er was geen gevaar voor betrapping. Als zijn moeder eenmaal aan haar rozenkrans begon deed ze haar ogen niet meer open. Federico sliep, en August was te dom en te heilig om te weten wat er in de wereld omging. Hij stond op en rekte zich uit.

'Ahem. Ik ga maar eens een boek pakken.'

In de ijzige duisternis van zijn moeders slaapkamer lichtte hij de matras op bij het voeteneind. Zijn vingers betastten de schamele muntjes in de sleetse beurs, vonden centen en kwartjes, maar geen dubbeltjes. Toen sloten ze zich om de vertrouwde dunne kleinte van een tiencentsstuk. Hij legde de beurs weer op zijn plaats in de springveer en luisterde naar verdachte geluiden. Toen liep hij met veel tam-tam van luidruchtige voetstappen en hard gefluit naar zijn eigen kamer en pakte het eerste het beste boek van de tafel dat zijn hand vond.

Hij ging terug naar de huiskamer en liet zich op de grond vallen naast August en Federico. Weerzin trok aan zijn gezicht toen hij het boek zag. Het was het leven van de Heilige Teresia, de kleine bloem van Jezus. Hij las de eerste regel van de eerste bladzij. 'Ik zal mijn hemel besteden aan goede werken op aarde.' Hij klapte het boek dicht en schoof het August toe.

'Jasses,' zei hij. 'Ik heb geen zin in lezen. Ik ga er even uit, kijken of de jongens op de heuvel aan het sleeën zijn.'

Maria's ogen bleven gesloten, maar ze vertrok lichtjes haar lippen om aan te geven dat ze hem gehoord had en zijn plan goedkeurde. Toen schudde ze langzaam haar hoofd heen en weer. Dat was haar manier van vragen of hij niet te laat thuiskwam.

'Nee,' zei hij.

Warm en gretig onder zijn strakke truien, afwisselend hollend en lopend ging hij Walnut Street uit, langs het spoor naar Twelfth, waar hij het terrein van het pompstation op de hoek afstak, liep de brug over, holde zo hard als hij kon door het park omdat de donkere schaduwen van de populieren hem angst aanjoegen, en stond nog geen tien minuten later hijgend onder de luifel van de Isis-bioscoop. Zoals bij alle bioscopen in kleine steden hing er een drom jongens van zijn eigen leeftijd rond, zonder geld, in gedweeë afwachting van de welwillendheid van de portier, die hen soms wel, soms niet, afhankelijk van zijn humeur, voor niets binnenliet wanneer de tweede helft van het programma goed en wel begonnen was. Dikwijls had hij daar ook gestaan, maar vanavond had hij een dubbeltje, en met een minzame glimlach naar de achterblijvers kocht hij een kaartje en liep met hoge borst naar binnen.

Hij liet de militaire portier, die een vinger tegen hem schudde, links liggen, en zocht zelf zijn weg door de donkerte. Eerst koos hij een plaats in de achterste rij. Vijf minuten later schoof hij twee rijen op. Een ogenblik later schoof hij nogmaals op. Beetje bij beetje, met twee of drie rijen tegelijk, baande hij zich een weg naar het lichtende scherm, tot hij tenslotte op de allereerste rij zat en niet verder kon. Daar zat hij, met dichtgeknepen keel en uitstekende adamsappel bijna recht naar het plafond te staren terwijl Gloria Borden en Robert Powell hun rol speelden in *Love on the River*.

Onmiddellijk was hij in de ban van het bedwelmend celluloid. Hij wist zeker dat zijn eigen gezicht een treffende gelijkenis vertoonde met dat van Robert Powell, en net zo zeker dat het gezicht van Gloria Borden al even verbazend veel leek op zijn wonderschone Rosa; en zo voelde hij zich volkomen thuis, lachte bulderend om Robert Powells geestige opmerkingen en rilde van verrukkelijk genot als Gloria Borden hartstochtelijke blikken wierp. Van lieverlee verloor Robert Powell zijn identiteit en werd hij Arturo Bandini, en van lieverlee veranderde Gloria Borden in Rosa Pinelli. Na het grote vliegtuigongeluk, toen Rosa op de operatietafel lag en niemand minder dan Arturo Bandini een gevaarlijke operatie uitvoerde om haar leven te redden, brak de jongen op de voorste rij het zweet uit. Arme Rosa! De tranen stroomden langs zijn wangen en hij veegde zijn loopneus af met een ongeduldige haal van zijn mouw over zijn gezicht.

Maar hij wist, had aldoor zo'n gevoel, dat die jonge dokter Arturo Bandini een medisch wonder zou volbrengen en ja hoor, het gebeurde! Voor hij het wist werd Rosa door de knappe dokter gekust; het was lente en de wereld was prachtig. Opeens, zonder een woord van waarschuwing, was de film afgelopen, en Arturo Bandini, snuffend en snotterend, zat op de voorste rij van de Isis-bioscoop, vreselijk met zijn figuur verlegen en walgend van zijn kinderachtige sentimentaliteit. Iedereen in de zaal keek naar hem. Dat wist hij zeker, omdat hij zo'n treffende gelijkenis met Robert Powell vertoonde.

De nawerking van de magische bedwelming trok langzaam weg. Nu de lichten weer aan waren en de werkelijkheid terugkeerde, keek hij om zich heen. Er zat niemand dichter dan tien rijen in zijn buurt. Hij keek over zijn schouder naar de massa fletse, bloedeloze gezichten in het midden en achteraan in het theater. Hij voelde een elektrische schok in zijn maag. Hij snakte naar adem in extatische schrik. Uit die kleine kleurloze zee fonkelde één gelaat hem tegen als een diamant, de ogen stralend van schoonheid. Het was het gezicht van Rosa! En zoëven had hij haar nog gered op de operatie-tafel! Maar het was allemaal zo'n treurige leugen. Hij was hier, alleen op een stoel in tien rijen stoelen. Hij liet zich zakken tot zijn kruin bijna verdween, hij voelde zich een dief, een misdadiger toen hij nog één blik waagde op dat verblindende gezicht. Rosa Pinelli! Ze zat tussen haar vader en moeder, twee buitensporig dikke Italianen met onderkinnen, helemaal achter in de zaal. Ze kon hem niet zien; hij was er zeker van dat ze te ver weg zat om hem te kunnen herkennen, maar zijn ogen overbrugden de afstand met een sprong en hij zag haar microscopisch klein; de losse krullen die onder haar mutsje vandaan piepten; de donkere kralen om haar hals, het twinkelend vonken van haar tanden. Dus ze had de film ook gezien. Was het mogelijk dat haar de gelijkenis tussen hem en Robert Powell was opgevallen?

Maar nee, eigenlijk was er helemaal geen gelijkenis. Niet echt. Het was maar een film, en hij zat vooraan, en voelde zich warm en zweterig onder zijn truien. Hij durfde zijn haar niet aan te raken, durfde zijn hand niet op te heffen om zijn haar naar achteren te strijken. Hij wist dat het omhoog groeide, verward als onkruid. De mensen herkenden hem omdat zijn haar nooit gekamd was en altijd te lang. Misschien had Rosa hem al ontdekt. O, waarom had hij niet even zijn haar gekamd? Waarom vergat hij eeuwig zulke dingen? Dieper en dieper zakte hij onderuit in de stoel, liet zijn ogen naar achteren rollen om te kijken of zijn haar boven de rugleuning uit te zien was. Voorzichtig, centimeter voor centimeter, lichtte hij zijn hand op om zijn haar plat te strijken. Maar het ging niet. Hij was te bang dat ze zijn hand zou zien.

Toen de lichten weer uitgingen liet hij opgelucht zijn adem los. Maar bij het begin van de tweede film begreep hij dat hij weg moest. Vage schaamte kneep zijn keel dicht, besef van zijn oude truien, zijn kleren, herinnering aan Rosa die hem uitlachte, angst dat hij haar, als hij nu niet wegsloop, in de foyer tegen het lijf zou lopen als ze met haar ouders het theater verliet. Hij kon de gedachte hen onder ogen te komen niet verdragen. Hun blik zou op hem vallen; de ogen van Rosa zouden twinkelen van het lachen. Rosa wist alles van hem, elke daad en gedachte. Rosa wist dat hij een dubbeltje had gestolen van zijn moeder, die het niet missen kon. Ze zou hem aankijken en het weten. Hij móest ervandoor, of daarvandaan. Er kon iets gebeuren; de lichten konden weer aangaan en dan zou ze hem zien; er kon brand uitbreken; er kon van alles gebeuren; hij moest gewoon opstaan en weggaan. Hij kon met Rosa in de klas zitten of op het schoolplein lopen. Maar dit was de Isis-bioscoop, en hij leek wel een smerige zwerver in die smerige kleren, anders dan iedereen, en hij had het geld gestolen: hij had het recht niet daar te zijn. Als Rosa hem zag kon ze op zijn gezicht lezen dat hij het geld gestolen had. Eén dubbeltje maar, een vergeeflijke zonde, maar een zonde, hoe je het ook bekeek. Hij stond op en liep met lange vlugge passen het middenpad uit, zijn gezicht afgewend, met zijn hand neus en ogen afschermend. Toen hij op straat stond besprong hem de reusachtige koude van de nacht als met zwepen, en hij zette het op een lopen. De wind stak in zijn gezicht, bespikkelde hem met nieuwe frisse gedachten.

Toen hij het pad naar de veranda van zijn huis insloeg, brak het zien van zijn moeders silhouet in het raam de spanning van zijn ziel; hij voelde zijn huid breken als een golf, en in een opwelling van emotie huilde hij, bedolven onder schuld, overstroomd, weggespoeld. Hij opende de deur en was thuis, in de warmte van zijn ouderlijk huis, en het voelde diep en weldadig. Zijn broers waren al naar bed maar Maria had niet bewogen, en hij wist dat haar ogen niet open waren geweest, haar vingers in eeuwige beweging met blinde overtuiging rondom de eindeloze kralenkring. Tjee, wat was ze mooi, zijn moeder, wat zag ze er jofel uit. O God, maak me dood want ik ben een smerige hond en zij is zo mooi en ik verdien dat ik doodga. O mamma, kijk naar mij want ik heb een dubbeltje gestolen en jij blijft maar bidden. O mamma, dood me met je handen.

Hij viel op zijn knieën en klemde zich aan haar vast in angst en vreugde en schuldbesef. De schommelstoel schokte van zijn snikken, de kralen ratelden in haar handen. Ze opende haar ogen en keek glimlachend op hem neer, harkte met haar dunne vingers zachtjes door zijn haar, zei bij zichzelf dat hij naar de kapper moest. Zijn snikken streelden haar als liefkozingen, gaven haar een teder gevoel voor haar kralen, een gevoel van eenheid tussen kralen en snikken.

'Mamma,' stamelde hij. 'Ik heb iets gedaan.'

''t Is al goed,' zei ze. 'Ik wist het.'

Dat verraste hem. Hoe kon ze dat nu geweten hebben? Hij had dat dubbeltje met volleerd meesterschap gejat. Hij had haar beduveld, en August, en iedereen. Hij had ze allemaal beduveld.

'Jij bad je rozenkrans, en ik wilde je niet storen,' loog hij. 'Ik wou je niet midden in de rozenkrans onderbreken.'

Ze glimlachte. 'Hoeveel heb je gepakt?'

'Een dubbeltje. Ik had wel alles kunnen nemen, maar ik heb alleen een dubbeltje gepakt.'

'Ik weet het.'

Dat stak hem. 'Maar hóe dan? Heb je me gezien?'

'Het water in de tobbe is nog warm,' zei ze. 'Ga je maar gauw wassen.'

Hij stond op en begon zijn truien uit te trekken.

'Maar hoe wist je dat dan? Heb je gekeken? Stiekem gekeken? Ik dacht dat je altijd je ogen dichtdeed als je de rozenkrans bad.'

'Hoe zou ik het niet weten?' zei ze glimlachend. 'Je pakt zo vaak dubbeltjes uit mijn portemonnaie. Je bent de enige die het doet. Ik weet het elke keer. Ik hoor het aan je voetstappen!'

Hij maakte zijn schoenen los en schopte ze uit. Eigenlijk was zijn moeder hartstikke slim. Maar als hij nu de volgende keer zijn schoenen uittrok en op blote voeten naar de slaapkamer ging? Hij nam dit plan ernstig in overweging toen hij naakt naar de keuken liep voor zijn bad.

Hij merkte met weerzin dat de keukenvloer koud en drijfnat was. Zijn twee broers hadden er een bende van gemaakt. Hun kleren lagen her en der verspreid, een teil stond vol grijs zeepwater en stukjes doorweekt hout: Federico's slagschepen.

Het was hem die avond veel te koud voor wassen. Hij besloot te doen alsof. Hij vulde een tobbe, deed de keukendeur op slot, haalde een *Rode Misdaad* te voorschijn en begon *Moord voor niets* te lezen, naakt op de warme deur van de oven gezeten, terwijl zijn voeten en enkels in de wastobbe ontdooiden. Nadat hij zolang had zitten lezen als hij meende dat normaal was om een bad te nemen, verstopte hij de *Rode Misdaad* op de achterveranda, wreef zijn droge lichaam met een handdoek tot het felroze gloeide en holde rillend naar de huiskamer. Maria zag hem neerhurken naast de kachel, met de handdoek in zijn haar wrijven, onderwijl moppe-rend wat een gruwelijke hekel hij had aan wassen in het hartje van de winter. Tevreden met zichzelf over zulk een meesterlijk bedrog vertrok hij naar bed. Maria glimlachte ook. Toen hij verdween voor de nacht zag ze een vuile kring om zijn nek als een zwarte halsband. Maar ze zei niets. De nacht was werkelijk te koud om je te wassen.

Nu was ze alleen, ze draaide de lichten uit en zette haar gebeden voort. Af en toe, tussen haar mijmeringen door, luisterde ze naar het huis. De kachel snikte en jammerde om brandstof. Op straat liep een man met een pijp voorbij. Ze keek naar hem, wetend dat hij haar in het donker niet kon zien. Ze vergeleek hem met Bandini: hij was langer, maar had niets van Svevo's elan in zijn stap. Uit de slaapkamer klonk de stem van Federico die in zijn slaap praatte. Toen Arturo, slaperig mompelend: 'Hé, wees stil.' Weer passeerde er een man in de straat. Hij was dik, de wasem wolkte uit zijn mond in de koude lucht. Svevo was veel knapper dan hij; goddank was Svevo niet dik. Maar dit waren afdwalingen. Het was heiligschen-nis het gebed te laten verstoren door losse gedachten. Ze deed haar ogen stijf dicht en maakte een lijstje van punten om de Heilige Maagd in overweging te geven.

Ze bad voor Svevo Bandini, bad dat hij niet zo dronken zou worden dat hij in handen van de politie zou vallen, zoals eenmaal was gebeurd voor hun huwelijk. Ze bad dat hij Rocco Saccone zou mijden, en Rocco Saccone hem. Ze bad dat de tijd maar vlug voorbij mocht gaan, opdat de sneeuw smolt en de lente zich naar Colorado haastte, en Svevo weer aan het werk kon. Ze bad om een gelukkig kerstfeest en om geld. Ze bad voor Arturo, dat hij zou ophouden met dubbeltjes stelen, en dat August priester mocht worden en Federico een brave jongen. Ze bad om kleren voor hen allen, om geld voor de kruidenier, voor de zielen der doden, voor de zielen der levenden, voor de wereld, voor de zieken en de stervenden, voor de armen en de rijken, om moed, om kracht om door te gaan, en om vergeving voor de dwalingen haars weegs.

Lang en vurig bad ze dat het bezoek van Donna Toscana van korte duur mocht zijn, en dat het hun allen niet al te veel misère zou brengen, en dat Svevo en haar moeder nog eens in vrede met elkaar zouden kunnen leven. Het laatste verzoek was vrijwel hopeloos, en dat wist ze. Hoe zelfs de moeder van Christus tussen Svevo Bandini en Donna Toscana een wapenstilstand zou kunnen arrangeren was een vraagstuk dat alleen de hemel vermocht op te lossen. Het bracht haar altijd in verlegenheid wanneer ze deze zaak onder de aandacht van de Heilige Maagd bracht. Alsof je vroeg om de maan op een zilveren blaadje. De Heilige Maagd was haar tenslotte al tegemoet gekomen met een pracht van een echtgenoot, drie mooie kinderen, een goed huis, blijvende gezondheid en geloof in Gods genade. Maar vrede tussen Svevo en zijn schoonmoeder, wel, er waren nu eenmaal verzoeken die zelfs de edelmoedigheid van de Heilige Maagd Maria te veel gevraagd waren.

Donna Toscana arriveerde zondag om twaalf uur. Maria en de kinderen waren in de keuken. Het hartverscheurend kermen van de veranda onder haar gewicht zei haar dat het oma was. Een ijzigheid zette zich vast in Maria's keel. Zonder kloppen opende

Donna de deur en stak haar hoofd naar binnen. Ze sprak alleen Italiaans.

'Is hij hier – de hond uit de Abruzzen?'

Maria haastte zich de keuken uit en sloeg haar armen om haar moeder. Donna Toscana was een reusachtige vrouw, altijd in het zwart na de dood van haar man. Onder de zwarte zijde droeg ze vier stuks onderrokken in felle kleuren. Haar opgezette enkels leken wel kropgezwellen. Haar zeer kleine schoenen schenen bijkans te barsten onder de druk van haar tweehonderdvijftig pond. Geen twee maar een dozijn borsten schenen in haar boezem samengeperst. Ze was gebouwd als een piramide, zonder heupen. Er zat zo veel vlees aan haar armen dat ze niet naar beneden hingen maar naar opzij uitstaken, de vingers bengelend als worstjes. Ze had in het geheel geen hals. Als ze haar hoofd omdraaide bewoog het slappe vlees met de melancholie van smeltende was. Een roze schedel schemerde door het dunne witte haar. Haar neus was smal en fijnbesneden, maar haar ogen waren als vertrapte zwarte druiven. Als ze sprak ratelde haar kunstgebit gedachteloos mee in een volstrekt eigen taal.

Maria nam haar mantel aan. Donna stond midden in de kamer en snoof diep, het vet rimpelend in haar nek, om haar dochter en kleinzoons duidelijk te maken dat de geur in haar neusgaten bepaald akelig was, een heel vieze geur. De jongens haalden argwanend hun neus op. Het huis hád opeens een lucht die hun nooit was opgevallen. August dacht aan zijn nierkwaal van twee jaar geleden, zou dat na twee jaar nog steeds te ruiken zijn?

'Dag oma,' zei Federico.

'Je tanden zijn zwart,' zei ze. 'Heb je ze vanmorgen gepoetst?'

Federico's lach verdween en de rug van zijn hand bedekte zijn mond; hij sloeg zijn ogen neer. Hij kneep zijn lippen op elkaar en nam zich voor zodra hij kon naar de badkamer te sluipen om in de spiegel te kijken. Raar hoe zijn tanden inderdaad zwart smaakten.

Oma haalde haar neus nog eens op.

'Wat is dat voor kwaadaardige lucht?' vroeg ze. 'Je vader is zeker niet thuis.'

De jongens verstonden Italiaans, want Bandini en Maria spraken het dikwijls.

'Nee, oma,' zei Arturo. 'Hij is er niet.'

Donna Toscana stak haar hand in de plooien van haar borsten en trok een beurs te voorschijn. Ze opende hem en nam er met haar vingertoppen een dubbeltje uit, hield het omhoog.

'Nu,' glimlachte ze. 'Wie van mijn drie kleinzoons is de eerlijkste? Aan die ene zal ik deze *deci soldi* geven. Gauw, zeg op: is je vader dronken?'

'*O mamma mia,*' zei Maria. 'Waarom vraagt u dat?'

Zonder naar haar te kijken antwoordde oma: 'Hou je mond, mens. Dit is een spelletje voor de kinderen.'

De jongens gingen met hun ogen bij elkaar te rade. Ze zwegen, bang hun vader te verraden maar niet bang genoeg. Oma was zo gierig, en toch wisten ze dat haar beurs vol dubbeltjes zat, elk muntje de beloning voor informatie over papa. Moesten ze deze vraag laten passeren en een volgende afwachten – een die voor papa niet zo ongunstig was – of moest een van hen voor de ander antwoorden? Het ging niet om een eerlijk antwoord, zelfs al was papa helemaal niet dronken. De enige manier om het geld te krijgen was een antwoord geven dat oma wilde horen.

Maria stond er hulpeloos naast. Donna Toscana had een tong als een slang, altijd klaar om toe te slaan in de tegenwoordigheid van de kinderen: halfvergeten episoden uit Maria's kinder- en meisjesjaren, dingen waarvan Maria liever niet had dat haar jongens ze wisten opdat de informatie haar waardigheid niet schaadde; kleinigheden die de jongens tegen haar zouden kunnen gebruiken. Donna Toscana had ze ook gebruikt. De jongens wisten dat hun mamma dom was op school, want dat had oma hun verteld. Ze wisten dat mamma vader-en-moedertje had gespeeld met nikkerkinderen en een pak slaag had gekregen. Dat mamma had overgegeven in het koor van de St.-Dominicus tijdens een snikhete hoogmis. Dat mamma net als August in bed had geplast maar, anders dan August, haar nachtponnen zelf had moeten wassen. Dat mamma van huis was weggelopen en de politie haar had teruggebracht (niet écht weggelopen, alleen maar te ver afgedwaald, maar oma beweerde dat ze weggelopen was). En ze wisten nog meer van mamma. Ze vertikte het als klein meisje om te werken en werd dan urenlang in de kelder opgesloten. Ze kon niet koken en zou het nooit leren. Ze krijste als een hyena toen de kinderen geboren werden. Ze was een onnozel schaap, anders was ze nooit met een schurk als Svevo Bandini getrouwd... en ze had geen zelfrespect, want waarom liep ze dan altijd in vodden? Ze wisten dat mamma een slappeling was, op haar kop gezeten door die hond van een man van haar. Dat mamma een lafaard was die Svevo Bandini allang naar de gevangenis had moeten sturen. Het was dus beter haar moeder niet in het harnas te jagen. Het was beter aan het vierde gebod te denken, haar moeder eerbied te tonen zodat haar eigen kinderen door dit voorbeeld eerbied voor haar zouden hebben.

'Nu?' zei oma. 'Is hij dronken?'

Lange stilte.

Toen zei Federico: 'Misschien, oma. We weten het niet.'

'Mamma mia,' zei Maria. 'Svevo is niet dronken. Hij is weg voor werk. Hij kan elk ogenblik terug zijn.'

'Luister naar je moeder,' zei Donna. 'Zelfs toen ze al groot genoeg was trok ze nooit de wc door. En nu probeert ze me wijs te maken dat die schooier van een vader van jullie niet dronken is! Maar hij is dronken! Arturo, vlug – voor *deci soldi!'*

''k Weet niet, oma. Eerlijk niet.'

'Bah!' snoof ze. 'Stomme kinderen van een stomme moeder!'

Ze wierp een paar muntjes voor hun voeten. Ze sprongen eropaf als wilden, vechtend, tuimelend over de vloer. Maria keek naar de wriemelende massa armen en benen. Donna Toscana's hoofd ging droevig heen en weer.

'En jij lacht,' zei ze. 'Die klauwen elkaar aan stukken als beesten, en hun moeder lacht erom! Ah, arm Amerika! O, Amerika, je kinderen zullen elkaar de keel afbijten en sterven als bloeddorstige dieren!'

'Maar *mamma mia,* het zijn jongens. Ze doen geen kwaad.'

'O, arm Amerika,' zei Donna. 'Arm, verloren Amerika.'

Ze begon het huis te inspecteren. Daar had Maria op gerekend:

kleden en vloeren geveegd, meubels afgestoft, kachels gepoetst. Maar een stofdoek verwijdert geen vlekken uit een lekkend plafond; een bezem veegt geen slijtplekken uit het kleed; water en zeep nemen niet de alomtegenwoordige tekenen van kinderen weg; de donkere kringen om deurkrukken, hier en daar een plotseling ontstane vetvlek; de onhandig geschreven naam van een kind; losse tekeningetjes voor spelletjes boter-kaas-en-eieren die steevast zonder winnaar eindigden; vanonderen afgetrapte deuren; een schoen die Maria nog geen tien minuten tevoren in een kast had gezet; een sok; een handdoek, een boterham met jam op de schommelstoel.

Urenlang had Maria gewerkt en gewaarschuwd – en dit was haar beloning. Donna Toscana liep kamer in kamer uit, haar gezicht strak van ontzetting. Ze zag de jongenskamer, het zorgvuldig opgemaakte bed, keurig gecompleteerd door een blauwe sprei die naar motteballen rook. Ze zag de pasgestreken gordijnen, de glanzende spiegel boven de toilettafel, het lappenkleedje naast het bed zo precies recht, alles zo kloosterachtig onpersoonlijk, en onder de stoel in de hoek – een vuile onderbroek van Arturo, weggeschopt, wijd uitgespreid als een stuk van een in tweeën gezaagd jongenslichaam.

De oude vrouw hief jammerend haar handen ten hemel.

'Mens, je bent hopeloos,' zei ze. 'O, Amerika!'

'Ach, hoe komt die daar nu?' zei Maria. 'De jongens zijn anders altijd zo netjes.'

Ze raapte het kledingstuk van de vloer en duwde het haastig onder haar schort. Donna Toscana's blik bleef een volle minuut op haar rusten nadat de onderbroek uit het gezicht verdwenen was.

'Ontaarde vrouw. Ontaarde, weerloze vrouw.'

Zo ging het de hele middag door. Donna Toscana's niet aflatend cynisme kende geen genade. De jongens hadden met hun dubbeltje de wijk genomen naar de snoepwinkel. Toen ze na een uur nog niet thuis waren lamenteerde Donna over Maria's gebrek aan gezag. Toen ze terugkwamen, Federico's gezicht onder de chocoladevegen, begon ze opnieuw. Toen ze een uur in huis waren, klaagde ze dat ze te veel kabaal maakten, dus stuurde Maria hen weer naar buiten. Toen ze weg waren voorspelde ze dat ze waarschijnlijk in de sneeuw aan influenza zouden sterven. Maria zette thee. Donna klakte met haar tong en verklaarde de thee te slap. Geduldig hield Maria de klok op het fornuis in de gaten. Over twee uur, tegen zevenen, zou haar moeder vertrekken. Hinkend, strompelend sleepte de tijd zich voort op zijn martelgang.

'Je ziet er slecht uit,' zei Donna. 'Wat is er met je gezicht?'

Maria streek met haar hand haar haren glad.

'Ik voel me best,' zei ze. 'We voelen ons allemaal best.'

'Waar is hij?' zei Donna. 'Die schooier.'

'Svevo is op werk uit, *mamma mia*. Hij zit achter een nieuwe baan aan.'

'Op zondag?' hoonde ze. 'Hoe weet je dat hij niet op stap is met een of andere *puttana?*'

'Waarom zegt u zulke dingen? Svevo is niet zo'n soort man.'

'Die man van jou is een beest. Maar hij trouwde met een domme vrouw, dus hij zal zich wel nooit laten betrappen. O, Amerika! Alleen in dit corrupte land kunnen zulke dingen gebeuren.'

Terwijl Maria het eten klaarmaakte zat ze met haar ellebogen op tafel, haar kin in haar handen. Het maal was spaghetti met vleesballetjes. Ze liet Maria de spaghettipan met water en zeep uitboenen. Ze beval haar de lange doos met spaghetti te brengen en onderzocht hem nauwkeurig op tekenen van muizen. Er was geen ijskast in huis, het vlees werd bewaard in een kast op de achterveranda. Het was biefstuk, gemalen voor de balletjes.

'Breng het hier,' zei Donna.

Maria zette het voor haar neer. Ze proefde met een vingertop. 'Net wat ik dacht,' zei ze fronsend. 'Bedorven.'

'Maar dat kan niet!' zei Maria. 'Ik heb het gisteravond gekocht.'

'Een slager zal altijd een domkop bedriegen,' zei ze.

Het eten was een half uur te laat omdat Donna erop stond dat Maria de schone borden opnieuw afwaste. De kinderen kwamen binnen, rammelend van de honger. Ze beval hun handen en gezicht te wassen, een schoon overhemd aan te doen en een das. Ze kankerden en Arturo bromde 'dat secreet' terwijl hij de gehate das strikte. Tegen de tijd dat alles op tafel stond was het eten koud. De jongens aten het toch maar. De oude vrouw at lusteloos een paar sliertjes spaghetti. Zelfs dat beviel haar niet en ze schoof haar bord weg.

'Het eten is slecht klaargemaakt,' zei ze. 'Die spaghetti smaakte naar stront.'

Federico lachte.

'Nou, ik vond 't lekker.'

'Zal ik iets anders voor u maken, *mamma mia*?'

'Nee!'

Na de maaltijd stuurde ze Arturo naar het pompstation om een taxi te bellen. Toen vertrok ze, kibbelend met de chauffeur om op de vijfentwintig cent van de ritprijs naar het station nog vijf cent af te dingen. Toen ze weg was stopte Arturo een kussen onder zijn hemd, wikkelde er een schort omheen en schommelde door het huis, verachtelijk snuivend. Maar niemand lachte. Niemand trok het zich aan.

4

Geen Bandini, geen geld, geen eten. Als Bandini thuis was, zou hij zeggen: Laat het maar opschrijven.

Maandagmiddag en nog steeds geen Bandini, en die kruideniersrekening! Nooit kon ze die uit haar hoofd zetten. Als een niet-aflatend spook vervulde zij de winterdagen met angst en beven.

Naast het huis van de Bandini's stond de kruidenierswinkel van meneer Craik. In zijn eerste huwelijksjaren had Bandini een krediet bij meneer Craik geopend. Aanvankelijk lukte het hem de rekeningen te betalen. Maar naarmate de kinderen ouder en hongeriger werden, naarmate het ene slechte jaar op het andere volgde, suisden de rekeningen omhoog tot krankzinnige bedragen. Sinds zijn huwelijk waren de zaken elk jaar slechter gegaan voor Svevo Bandini. Geld! Na vijftien jaar huwelijk had Bandini zo veel rekeningen dat zelfs Federico wist dat hij niet de bedoeling noch de gelegenheid had om ze te voldoen.

Maar de kruideniersrekening bleef hem achtervolgen. Als hij meneer Craik honderd dollar schuldig was betaalde hij er vijftig – als hij het had. Was hij er tweehonderd schuldig, dan betaalde hij er vijfenzeventig – als hij het had. Zo ging het met alle schulden van Svevo Bandini. Er was niets geheimzinnigs aan. Er was geen verborgen drijfveer, geen bedrieglijke bedoeling waardoor hij in gebreke bleef. Er was geen begroting tegen opgewassen. Het was heel simpel: het gezin maakte meer geld op dan hij verdiende. Hij wist dat de enige uitweg bestond uit een meevaller. Zijn ongeschokt vertrouwen dat die meevaller ophanden was voorkwam een complete desertie en weerhield hem ervan zich voor de kop te schieten. Hij dreigde voortdurend met beide, maar deed geen van tweeën. Maria wist niet hoe ze moest dreigen. Het lag niet in haar aard.

Maar meneer Craik klaagde eeuwig en altijd. Hij vertrouwde Bandini nooit helemaal. Hadden de Bandini's niet vlak naast de winkel gewoond, waar hij een oog op ze kon houden, en had hij niet het gevoel gehad dat hij op de lange duur het grootste deel van het verschuldigde geld zou ontvangen, dan had hij geen krediet meer gegeven. Hij had met Maria te doen, met het koude medelijden dat de kleine middenstander aan de dag legt voor de armen als klasse, en de kille, afwerende apathie jegens de individuele leden ervan. Jezus, hij moest toch ook rekeningen betalen.

Nu de rekening van de Bandini's zo was opgelopen – en zij ging elke winter met sprongen omhoog – griefde hij Maria, beledigde haar zelfs. Hij wist dat ze eerlijk was, op het kinderlijk naïeve af, maar dat scheen niet meer ter zake als ze in de winkel kwam om er nog een schepje bovenop te doen. Alsof de zaak van haar was! Hij was er om levensmiddelen te verkopen, niet om ze cadeau te geven. Hij handelde in koopwaar, niet in gevoelens. Hij kreeg geld van ze. Hij gaf haar extra krediet. Zijn eisen om geld waren vruchteloos. Er zat niets anders op dan te blijven aandringen tot hij het kreeg. In deze omstandigheden was dat het enig mogelijke dat hij kon doen.

Maria moest zich elke dag weer een soort opgeschroefde heldenmoed inspreken om hem onder ogen te kunnen komen. Dat meneer Craik haar zo vernederde liet Bandini koud.

Schrijf maar op, meneer Craik. Schrijft u het maar op.

De hele middag, tot een uur voor het eten, liep Maria door het huis, in afwachting van de zo noodzakelijke inspiratie om naar de winkel te gaan. Ze liep naar het raam en zat met haar handen in haar schortzakken, een vuist om haar rozenkrans geklemd – te wachten. Ze had dat eerder gedaan, nog maar twee dagen geleden, zaterdag, en de dag daarvoor, en alle dagen dáárvoor, lente, zomer, winter, jaar in jaar uit. Maar nu was de moed wegens overwerktheid in slaap gevallen en weigerde op te staan. Ze kon niet weer naar die winkel gaan en die man onder ogen komen.

Vanuit het raam zag ze in de bleke winteravond Arturo aan de overkant met een troep buurkinderen. Ze waren in een sneeuwballengevecht gewikkeld op het landje. Ze deed de deur open.

'Arturo!'

Ze riep hem omdat hij de oudste was. Hij zag haar in de deuropening staan. Het was een witte duisternis. Diepe schaduwen kropen snel over de melkwitte sneeuw. De straatlantaarns brandden met een koud licht, een koude gloed in een nog kouder waas. Een automobiel passeerde met naargeestig rammelende sneeuwkettingen.

'Arturo!'

Hij wist wat ze van hem wilde. In zijn onwil klemde hij zijn tanden op elkaar. Hij wíst dat ze hem naar de winkel wilde sturen. Ze was een angsthaas, gewoon laf, ze speelde de zwarte piet naar hem door uit angst voor meneer Craik. Haar stem had de rare trilling die optrad als er boodschappen moesten komen. Hij probeerde zich eraan te onttrekken door te doen of hij niets had gehoord, maar ze bleef roepen tot hij het wel had kunnen uitschreeuwen, en de andere kinderen, gehypnotiseerd door het trillen van haar stem, staakten het sneeuwballen-gooien en keken hem aan, alsof ze hem vroegen iets te doen.

Hij gooide nog één sneeuwbal, keek hoe die uiteenspatte, en ploeterde door de sneeuw en over het verijsde trottoir. Nu zag hij haar duidelijk. Haar kaken klapperden van de kou in de schemering. Ze stond met haar armen om haar magere lichaam geslagen, wipte op haar tenen om warm te blijven.

'Wat is er?' zei hij.

"'t Is koud,' zei ze. 'Kom erin, dan zal ik het zeggen.'

'Wat is er, mam? Ik heb geen tijd.'

'Ik wou dat je even naar de winkel ging.'

'Naar de winkel? Nee! Ik weet best waarom ik het moet doen – je bent zelf te bang vanwege de rekening. Nou, ik ga niet. Ik denk er niet aan.'

''Alsjeblieft,' zei ze. 'Je bent groot genoeg om het te begrijpen. Je weet hoe meneer Craik is.'

Natuurlijk wist hij dat. Hij haatte Craik, de schoft, die altijd vroeg of zijn vader dronken of nuchter was, en wat déed zijn vader eigenlijk met zijn geld, en hoe kunnen jullie spaghettivreters zonder een cent leven en hoe komt het dat je pa's avonds nooit thuis is, wat voert-ie uit – een vrouw soms ergens, die zijn geld opmaakt? Hij kende meneer Craik en haatte hem.

'Waarom kan August niet gaan?' zei hij. 'Jezusmina, ik moet altijd alles doen. Wie haalt er kolen en hout? Ik. Elke keer. Laat August maar gaan.'

'August wil niet. Hij is bang.'

'Bah. Lafaard. Wat is er om bang voor te zijn? Nou, ik ga niet, hoor.'

Hij draaide zich om en stampte terug naar de jongens. Het sneeuwballengevecht werd hervat. Onder de tegenstanders bevond zich Bobby Craik, de zoon van de kruidenier. Ik zal je krijgen, rotjoch dat je bent. Van de veranda riep Maria nog eens. Arturo gaf geen antwoord. Hij schreeuwde om haar te overstemmen. Nu was het donker, en meneer Craiks etalage straalde in de nacht. Arturo schopte een steen los uit de bevroren grond en vormde er een sneeuwbal omheen. De jongen van Craik stond een meter of vijftien verderop achter een boom. Hij smeet met een razernij die zijn hele lichaam spande, maar miste – een halve meter naast.

Meneer Craik stond met zijn hakmes op een bot te slaan op het blok toen Maria binnenkwam. Bij het piepen van de deur keek hij op en zag haar – een klein onbeduidend figuurtje in een oude zwarte mantel met een hoge bontkraag, waarvan de meeste haren waren uitgevallen, zodat er witte plekken huid verschenen in de donkere massa. Een afgeleefde bruine hoed bedekte haar voorhoofd – het gezicht van een heel oud kind ging erachter schuil. De doffe glans van haar kunstzijden kousen maakte ze geelachtig bruin, dat de dunne beenderen en de witte huid eronder accentueerde, en haar afgetrapte schoenen nog ouder en vochtiger deed lijken. Ze liep als een kind, timide, angstvallig op haar tenen, naar het bekende plekje waar ze steevast haar boodschappen deed, het verst van meneer Craiks hakblok vandaan, daar waar de toonbank aansloot op de muur.

In vroeger jaren had ze hem nog gegroet. Maar nu voelde ze dat hij een dergelijke gemeenzaamheid niet op prijs stelde, en stond stilletjes in haar hoekje te wachten tot hij klaar was om haar te helpen.

Toen hij zag wie het was negeerde hij haar, en ze deed haar best om een belangstellende, vriendelijk glimlachende toeschouwster te zijn terwijl hij met zijn hakmes zwaaide. Hij was van normale lengte, kalend, met een bril van celluloid – een man van vijfenveertig. Een dik potlood stak achter het ene oor, een sigaret achter het andere. Zijn witte voorschoot hing tot op zijn schoenen, een blauw slagerstouw was vele malen om zijn middel gewonden. Hij stond op een bot te hakken dat in een rood en sappig staartstuk zat.

Ze zei: 'Wat ziet dat er lekker uit.'

Hij gooide het staartstuk om en om, ritste een vel papier van de rol, legde het op de weegschaal, en wierp het vlees erop. Zijn rappe zachte vingers pakten het behendig in. Ze schatte dat het tegen de twee dollar zou kosten, en vroeg zich af wie het had besteld – wie weet een van die rijke Amerikaanse dames op University Hill.

Meneer Craik tilde de rest van het staartstuk op zijn schouder en verdween in de koelcel, de deur achter zich sluitend. Het leek of hij heel lang in de koelcel bleef. Toen kwam hij weer te voorschijn, deed of hij verbaasd was haar te zien, schraapte zijn keel, klikte de deur van de koelcel dicht, deed het hangslot voor de nacht erop, en verdween in de achterkamer.

Ze veronderstelde dat hij naar de wc ging om zijn handen te wassen, en dat maakte dat ze zich afvroeg of er nog zeeppoeder was, en toen plofte opeens alles wat ze voor het huishouden nodig had door haar geheugen, en een flauwheid alsof ze bezwijmde overviel haar toen de bergen zeep, margarine, vlees, aardappelen en zo veel andere dingen haar als een lawine schenen te bedelven.

Craik kwam terug met een bezem en begon het zaagsel rondom het hakblok bijeen te vegen. Ze sloeg haar ogen op naar de klok: tien voor zes. Arme meneer Craik! Hij leek moe. Hij was net als alle mannen, snakte zeker ook naar een warme maaltijd.

Meneer Craik staakte het vegen en stond stil om een sigaret op te steken. Svevo rookte alleen sigaren, maar bijna alle Amerikanen rookten sigaretten. Meneer Craik keek naar haar, blies de rook uit en ging verder met vegen.

'Koud weertje hebben we,' zei ze.

Maar hij hoestte, en ze meende dat hij haar niet gehoord had, want hij verdween in de achterkamer en kwam terug met een stoffer en blik en een kartonnen doos. Hij bukte zuchtend, veegde het zaagsel op het blik en liet het in de doos glijden.

'Ik hou niet van de kou,' zei ze. 'We kijken uit naar de lente, vooral Svevo.'

Hij hoestte weer, en voor ze het wist bracht hij de doos weg achter de winkel. Ze hoorde het plassen van stromend water. Hij kwam terug, zijn handen afdrogend aan zijn voorschoot, dat mooie witte voorschoot. Op het kasregister sloeg hij, heel hard, Totaal aan. Ze veranderde van stand, verplaatste haar gewicht van de ene voet naar de andere. De grote klok tikte maar door. Zo'n elektrische klok met zo'n vreemde tik. Nu was het precies zes uur.

Meneer Craik haalde de munten uit de geldla en spreidde ze uit op de toonbank. Hij scheurde een strookje papier van de rol en pakte zijn potlood. Toen leunde hij voorover en telde de ontvangsten van de dag. Was het mogelijk dat hij zich niet bewust was van haar aanwezigheid in de winkel? Hij had haar toch zien binnenkomen, haar zien staan! Hij likte aan het potlood met de punt van zijn roze tong en begon de getallen op te tellen. Ze trok haar wenkbrauwen op en drentelde naar de etalage om naar groenten en fruit te kijken. Sinaasappelen: 60 cent de twaalf. Asperges: 15 cent per pond. Lieve hemel. Appels een kwartje per kilo.

'Aardbeien!' zei ze. 'In de winter! Komen die uit Californië, meneer Craik?'

Hij veegde de munten in een geldzak en liep naar de kluis, waar hij op zijn hurken zittend aan het cijferslot morrelde. De grote klok tikte. Het was tien over zes toen hij de kluis sloot. Meteen verdween hij weer achter de winkel.

Nu kon ze hem niet meer aankijken. Beschaamd, uitgeput, moe in haar voeten, ging ze met de handen in haar schoot op een leeg krat zitten en staarde naar de bevroren etalageruit. Meneer Craik deed zijn voorschoot af en gooide het over het hakblok. Hij haalde de sigaret uit zijn mond, liet hem op de grond vallen en stampte hem met zorg uit. Toen ging hij weer naar achteren en kwam terug met zijn jas. Terwijl hij zijn kraag rechttrok sprak hij haar voor de eerste maal aan.

'Kom op, mevrouw Bandini. Godallemachtig, ik kan hier niet de hele avond blijven rondhangen.'

Bij het geluid van zijn stem verloor ze haar evenwicht. Ze glimlachte om haar gêne te verbergen, maar haar gezicht was rood aangelopen en haar ogen waren neergeslagen. Haar handen fladderden naar haar keel.

'O!' zei ze. 'Ik wachtte juist op u!'

'Wat zal het zijn, mevrouw Bandini? Schouderlappen?'

Ze stond in de hoek en kneep haar lippen op elkaar. Haar hart sloeg zo snel dat ze nu helemaal niets wist te zeggen.

Ze zei: 'Ik denk dat ik...'

'Schiet op, mevrouw Bandini. Allemachtig, u bent hier nu een half uur en u weet nog niet wat u wilt.'

'Ik dacht...'

'Wilt u schouderlappen?'

'Wat kost schouder, meneer Craik?'

'Hetzelfde. Allemachtig, mevrouw Bandini, dat koopt u nu al jaren. Hetzelfde. Altijd hetzelfde.'

'Voor vijftig cent dan.'

'Waarom zei u dat nu niet eerder?' zei hij. 'Ik doe net alles terug in de cel.'

'O, dat spijt me, meneer Craik.'

'Voor deze keer dan nog. Maar in het vervolg, mevrouw Bandini, als u iets wilt, komt u dan op tijd. Allemachtig, ik moet ook vanavond nog naar huis.'

Hij haalde een stuk schouder te voorschijn en sleep zijn mes.

'Zeg,' zei hij. 'Wat doet Svevo tegenwoordig?'

In de vijftien jaar dat Bandini en meneer Craik elkaar kenden noemde de kruidenier hem altijd bij zijn voornaam. Maria had het idee dat Craik bang was voor haar man. Het was een overtuiging die haar heimelijk met trots vervulde. Nu spraken ze over Bandini, en ze vertelde hem opnieuw het eentonige verhaal van de tegenslagen van een metselaar in de winters van Colorado.

'Ik zag Svevo gisteravond nog,' zei Craik. 'Voor het huis van Effie Hildegarde. Kent u haar?'

Nee – ze kende haar niet.

'Hou Svevo dan maar in de gaten,' zei hij, met een insinuerende humor. 'Hou maar een oogje op hem. Effie Hildegarde heeft bendes geld.'

'Ze is weduwe ook nog,' zei Craik, met zijn blik op de weegschaal. 'De busmaatschappij is van haar.'

Maria sloeg zijn gezicht nauwkeurig gade. Hij pakte het vlees in, deed er touw om, legde het met een klap voor haar neer op de toonbank. 'En ze heeft onroerend goed hier in de stad. Een knappe vrouw, mevrouw Bandini.'

Huizen? Maria slaakte een zucht van verlichting.

'O, Svevo kent zo veel huiseigenaren en makelaars. Ik denk dat hij een klus voor haar begroot.'

Ze beet op haar duimnagel toen Craik weer sprak.

'Wat nog meer?'

Ze somde de rest op: meel, aardappelen, zeeppoeder, margarine, suiker. 'Bijna vergeten!' zei ze. 'Ik wilde ook wat fruit, een stuk of zes appels. De kinderen houden van fruit.'

Meneer Craik vloekte binnensmonds terwijl hij een zak opensloeg en de appels erin deed. Fruit op de rekening van de Bandini's keurde hij af: hij zag niet in waarom arme mensen zich een dergelijke luxe zouden veroorloven. Vlees en meel – ja. Maar waarom moesten ze fruit eten als ze hem nog zo veel geld schuldig waren?

'Goeie God,' zei hij. 'Het moet maar eens afgelopen zijn met dat poffen, mevrouw Bandini! Zo kan het echt niet langer doorgaan. Ik heb sinds september geen cent meer gezien van die rekening.'

'Ik zal het zeggen,' zei ze, terugdeinzend. 'Ik zal het hem zeggen, meneer Craik!'

'Ach! Alsof dat helpt!'

Ze pakte haar boodschappen op.

'Ik zal het hem zeggen, meneer Craik. Ik zeg het vanavond nog.'

De opluchting weer buiten te zijn! O, wat was ze moe. Haar lichaam deed zeer. Toch glimlachte ze in de koude avondlucht, drukte haar pakjes teder tegen zich aan, alsof ze het leven zelf waren.

Meneer Craik had het mis. Svevo Bandini was een goed huisvader. En waarom zou hij niet praten met een dame die huizen bezat?

5

Arturo Bandini wist vrijwel zeker dat hij niet naar de hel ging als hij stierf. De weg naar de hel was het begaan van een doodzonde. Hij had er vele begaan, meende hij, maar de biechtstoel had hem gered. Hij ging altijd op tijd te biecht – dat wilde zeggen, voor hij stierf. En hij klopte het af als hij eraan dacht – hij zou er altijd op tijd bij zijn – voor hij stierf. Dus wist Arturo wel zeker dat hij niet naar de hel ging als hij stierf. Om twee redenen. De biechtstoel en het feit dat hij zo hard lopen kon.

Maar het vagevuur, die plaats halverwege hemel en hel, verontrustte hem. De catechismus had uitdrukkelijk de vereisten voor de hemel genoemd: een ziel moest volstrekt rein zijn, zonder de geringste smet of zonde. Als de ziel bij de dood niet rein genoeg was voor de hemel, en niet bezoedeld genoeg voor de hel, dan restte haar dat middengebied, dat vagevuur waar de ziel brandde en brandde, tot zij gelouterd was van haar smetten.

In het vagevuur was er één troost: vroeg of laat kwam je beslist in de hemel. Maar toen Arturo besefte dat zijn verblijf in het vagevuur wel zeventig miljoen maal miljard maal triljard jaar kon duren, van branden en branden en branden, bood de uiteindelijke hemel schrale troost. Honderd jaar was al zo lang. En honderdvijftig miljoen jaar was onvoorstelbaar.

Nee, Arturo wist zeker dat hij niet regelrecht naar de hemel zou gaan. Hoe hij het vooruitzicht ook vreesde, hij wist dat hem een lange zittingstijd in het vagevuur te wachten stond. Maar was er dan niets dat een mens kon doen om de beproeving in het vuur te verminderen? In zijn catechismus vond hij het antwoord op deze vraag.

Men kon die vreselijke tijd in het vagevuur bekorten, zei de catechismus, door goede werken, door gebed, door vasten en onthouding, en door het verzamelen van aflaten. Goede werken kwamen niet in aanmerking, wat hem betrof. Hij had nooit de zieken bezocht, want zulke mensen kende hij niet. Hij had nooit de naakten gekleed, want hij had nooit naakte mensen gezien. Hij had nooit de doden begraven, want daar had je begrafenisondernemers voor. Hij had nooit aalmoezen gegeven aan de armen, omdat hij er geen te geven had; en een aalmoes klonk altijd alsof het een brood was, en waar kon hij aan een brood komen? Hij had nooit de gewonden gehuisvest omdat – ja, dat wist hij niet – het klonk als iets dat mensen in kustplaatsen deden, iets als uitvaren om zeelieden die bij een schipbreuk gewond waren te redden. Hij had nooit de onwetenden onderwezen omdat hij per slot zelf onwetend was, anders had hij niet naar die pokkeschool gemoeten. Hij had nooit de duisternis verlicht, omdat dat een hele moeilijke was die hij niet begreep. Hij had nooit de getroffenen getroost, want dat klonk gevaarlijk en hij kende er trouwens ook geen; de meeste gevallen van mazelen en pokken hadden quarantaine-bordjes op hun deur.

En wat de tien geboden aanging, die schond hij vrijwel allemaal, en toch wist hij zeker dat niet al deze schendingen doodzonden waren. Soms had hij een konijnepootje bij zich, wat bijgeloof was, en daarom een zonde tegen het eerste gebod. Maar was het een doodzonde? Dat zat hem nu altijd dwars. Een doodzonde was een ernstige overtreding. Een vergeeflijke zonde was een lichte overtreding. Soms, bij het honkballen, kruiste hij zijn slaghout met dat van een medespeler, dat heette dé manier om je in één keer naar het tweede honk te slaan. En toch wist hij dat het bijgeloof was. Was het een zonde? Een doodzonde of een vergeeflijke zonde? Eens op een zondag had hij expres de mis laten lopen om naar de radio-uitzending van de World Series te luisteren, en vooral om over zijn god te horen, Jimmy Foxx van de Athletics. Op weg naar huis na de wedstrijd had hij opeens bedacht dat hij het eerste gebod geschonden had: gij zult geen vreemde goden hebben voor mijn aangezicht. Nu, dan had hij een doodzonde begaan door de mis te laten schieten, maar was het nóg een doodzonde als je tijdens de World Series liever Jimmy Foxx had dan de Allerhoogste? Hij was te biecht gegaan, en daar werd de zaak nog ingewikkelder. Pater Andreas had gezegd: 'Als je zelf denkt dat het een doodzonde is, mijn zoon, dan is het er een.' Nou já, zeg. Eerst had hij gedacht dat het een vergeeflijke zonde was, maar had moeten toegeven, na de overtreding drie dagen lang voor de biecht te hebben overwogen, dat het inderdaad een doodzonde was geworden.

Het zevende gebod. Het was zinloos om daarover zelfs maar te denken, want Arturo zei gemiddeld vier keer per dag godverdomme. Dat was nog afgezien van de variaties: verdomme dit en verdomme dat. En dus deed hij op zijn wekelijkse gang naar de biechtstoel maar een ruwe gissing, na een vruchteloos onderzoek van zijn geweten op nauwkeurigheid. Het beste was de priester te bekennen: 'Ik heb de naam des Heren ijdellijk gebruikt, zowat achtenzestig à zeventig keer.' Achtenzestig doodzonden in één week, tegen het zevende gebod alleen al! Tjee! Soms, geknield in de koude kerk, wachtend op zijn beurt, luisterde hij ongerust naar het bonzen van zijn hart, uit angst dat het zou stilstaan en dat hij dood zou neervallen voor hij schoon schip had gemaakt. Het maakte hem kwaad, dat wilde bonzen van zijn hart. Het dwong hem dikwijls tot lopen in plaats van hollen, en nog heel langzaam ook, naar de biecht, om het orgaan niet zo te overbelasten dat hij dood neerviel op straat.

Eert uw vader en uw moeder. Natuurlijk eerde hij zijn vader en moeder! Natuurlijk. Maar er school een adder in het gras: de catechismus zei ook dat ongehoorzaamheid aan vader of moeder gebrek aan respect was. Alweer pech gehad. Want ofschoon hij wel degelijk zijn vader en moeder eerde was hij zelden gehoorzaam. Vergeeflijke zonden? Doodzonden? Die classificaties bleven hem dwarszitten. Het aantal zonden tegen dat gebod was niet bij te benen, ze liepen in de honderden als hij zijn dagen uur voor uur naging. Tenslotte kwam hij tot de conclusie dat het slechts vergeeflijke zonden waren, niet zwaar genoeg om de hel te verdienen. Toch paste hij wel op zich niet al te zeer in deze slotsom te verdiepen.

Hij had nooit iemand gedood, en was er heel lang zeker van geweest dat hij nooit zou zondigen tegen het vijfde gebod. Maar op een dag begonnen ze op catechisatie het vijfde gebod te bestuderen; en hij ontdekte tot zijn verdriet dat het praktisch onmogelijk was het zondigen ertegen te vermijden. Een mens doden was niet het enige; de bijprodukten van het gebod omvatten wreedheid, lichamelijk letsel, vechten en alle vormen van slechtheid jegens mens en dier, vogels en insekten.

Goeiendag, wat moest je daar nu mee aan? Hij maakte graag bromvliegen dood. Muskusratten en vogels waren ook leuk om dood te maken. Hij hield van vechten. Hij had de pest aan die kippen. Hij had heel wat honden in zijn leven gehad en ze dikwijls hard en ruw behandeld. En dan de duiven en fazanten die hij had gedood, de prairiehazen en -honden? Er zat maar één ding op: er het beste van maken. Sterker nog: het was een zonde zelfs maar aan het doden of krenken van een medemens te denken. Daarmee was zijn lot bezegeld. Wat hij ook probeerde, hij kon er niets aan doen dat hij sommige mensen een gewelddadige dood toewenste: zuster Maria Corta, en Craik de kruidenier, en de eerstejaars op de universiteit, die de jongens wegjoegen met knuppels en hun verboden het stadion binnen te sluipen bij de grote wedstrijden. Zoveel begreep hij wel: als hij niet naar de letter een moordenaar was, dan was hij het toch in de ogen van God.

Eén zonde tegen dat vijfde gebod die was blijven gisten in zijn geweten was een incident afgelopen zomer, toen hij en Paulie Hood, ook een katholieke jongen, een rat levend hadden gevangen, met spijkers aan een kruisje nagelden en opgericht hadden in een mierenhoop. Het was iets verschrikkelijks, iets gruwelijks, dat hem altijd bijgebleven was. Maar het ergste was dat ze deze beestachtige daad hadden begaan op Goede Vrijdag, en nog wel direct na het bidden van de kruisweg! Hij had die zonde smadelijk opgebiecht, huilend onder het vertellen, met oprecht berouw, maar hij wist dat het vele jaren aan het vagevuur had toegevoegd, en het had wel zes maanden geduurd voor hij weer een rat had durven doden.

Gij zult geen onkuisheid doen; gij zult niet denken aan Rosa

Pinelli, Joan Crawford, Norma Shearer en Clara Bow. O hemel, o Rosa, o de zonden, de zonden, de zonden. Het was begonnen toen hij vier was, nog geen zonde omdat hij toen onwetend was. Het begon al toen hij op een zondag toen hij vier was in een hangmat lag en heen en weer schommelde, en de volgende dag was hij weer naar de hangmat tussen de pruimeboom en de appelboom in de achtertuin gegaan om te schommelen.

Wat wist hij van onkuisheid, slechte gedachten, slechte daden? Niets. Het was leuk in de hangmat. Toen leerde hij lezen, en het eerste van de vele dingen die hij las waren de geboden. Toen hij acht was deed hij zijn eerste biecht, en toen hij negen was moest hij de geboden uit elkaar halen om te ontdekken wat ze betekenden.

Onkuisheid. Daarover werd in de vierde klas op catechisatie niet gesproken. Zuster Maria Anna sloeg dat over en sprak de meeste tijd over Eert uw vader en uw moeder en Gij zult niet stelen. En zo kwam het dat om onduidelijke, door hem zelf niet begrepen redenen onkuisheid voor hem iets met een bankroof te maken had. Van zijn achtste tot zijn tiende jaar sloeg hij bij zijn gewetensonderzoek voor de biecht Gij zult geen onkuisheid doen altijd over, omdat hij nooit een bank had beroofd.

Degene die hem vertelde wat onkuisheid betekende was niet pater Andreas, noch een van de nonnen, maar Art Montgomery van het Standard-pompstation op de hoek van Arapahoe en Twelfth. Van die dag af waren zijn lendenen een nest met duizend woedend zoemende horzels. Ze hadden het alleen over slechte gedachten, slechte woorden, slechte daden. Die catechismus! Elke verborgenheid van zijn hart, elk heimelijk genot in zijn gedachten was aan die catechismus al bekend. Die kon hij niet verslaan, al liep hij nog zo omzichtig tussen de speldepunten van die regels door. Hij kon niet meer naar de film, omdat hij alleen ging om de vormen van zijn heldinnen te zien. Hij hield van liefdesfilms. Hij liep graag meisjes na op de trap. Hij hield van meisjesarmen, meisjesbenen, hun handen en voeten, hun schoenen en kousen en jurken, hun geur, hun aanwezigheid. Na zijn twaalfde jaar waren er maar twee belangrijke dingen in zijn leven: honkbal en meisjes, alleen noemde hij ze vrouwen. De klank van dat woord vond hij mooi. Vrouwen, vrouwen, vrouwen. Hij zei het telkens weer omdat het een geheime sensatie was. Zelfs onder de mis, als er vijftig of honderd om hem heen waren, zwelgde hij in het verborgene van zijn lusten.

En het was alles zonde – de hele zaak had het kleffe gevoel van het kwade. Zelfs de klank van sommige woorden was een zonde. Navel. Soepel. Tepel. Allemaal zonden. Vleselijk. Het vlees. Scharlaken. Lippen. Allemaal zonde. Als hij het Weesgegroet opzei. Wees gegroet Maria vol van genade, de Heer is met u, gij zijt de gezegende onder de vrouwen, en gezegend is de vrucht van uw schoot. Het woord schokte hem als een donderslag. De vrucht van uw schoot. Weer was een zonde geboren.

Elke zaterdagmiddag kwam hij de kerk in wankelen, gebukt onder de zonde van onkuisheid. Angst dreef hem erheen, angst dat hij zou sterven en dan voorgoed verderleven in eeuwige pijn. Hij durfde niet te liegen tegen zijn biechtvader. Angst rukte zijn zonden bij de wortel uit. Hij biechtte alles achter elkaar, in een stroom van onreinheid, bevend van verlangen zich te zuiveren. Ik heb een slechte daad begaan, nee, twee slechte daden, en ik heb aan een meisje haar benen gedacht en dat ik haar aanraakte op een slechte plek en ik ben naar de film gegaan en heb slechte dingen gedacht en ik liep op straat en een meisje stapte uit een auto en het was slecht en ik heb naar een vieze mop geluisterd en gelachen en een paar jongens stonden naar twee honden te kijken en ik zei iets lelijks, het was mijn schuld, zij zeiden niks, ik zei het, ik heb het gedaan, ik heb ze aan het lachen gemaakt met een smerige gedachte en ik heb een plaatje uit een tijdschrift gescheurd en ze was naakt en ik wist dat het slecht was maar ik deed het toch. Ik heb iets slechts gedacht over zuster Maria Agnes; het was slecht en ik dacht het toch. Ik heb ook slechte dingen gedacht over een paar meisjes die in het gras lagen en bij één was haar jurk helemaal omhoog gekomen en ik ben blijven kijken terwijl ik wist dat het slecht was. Maar het spijt me. Het was mijn schuld, allemaal mijn schuld, en ik heb er spijt van, ik heb er spijt van.

Na het verlaten van de biechtstoel zei hij zijn penitentie, zijn tanden opeengeklemd, zijn vuist gebald, zijn nek star, beloofde met hart en ziel voor nu en voor altijd rein te blijven. Dan kwam een zoetheid over hem, een wiegen suste hem, een zachte bries verkoelde hem, een lieflijkheid koesterde hem. Dan liep hij in een droom de kerk uit, liep in een droom, zoende een boom als niemand keek, at een graspriet, wierp kushanden naar de hemel, raakte de koude stenen van de kerk met magische vingers aan, de vrede in zijn hart alleen te vergelijken met een chocomaltine, een driehonkslag, een broze, blinkende vensterruit, de hypnose van het ogenblik dat aan de slaap voorafgaat.

Nee, hij zou niet naar de hel gaan als hij stierf. Hij kon hard lopen en zou tijdig de biechtstoel halen. Maar het vagevuur wachtte. Niet voor hém het rechte, zuivere pad naar eeuwige zaligheid. Hij zou er komen langs de moeilijke weg, de omweg. Dat was één reden waarom Arturo misdienaar was. Een klein beetje vroomheid op deze aarde zou zijn verblijf in het vagevuur zeker bekorten.

Hij was om nog twee andere redenen misdienaar. In de eerste plaats omdat zijn moeder erop stond, ondanks zijn herhaald en luidkeels protest. In de tweede plaats omdat de meisjes van de Heilige Naam-vereniging ieder jaar met Kerstmis de jongens op een banket onthaalden.

Rosa, ik hou van je.

Ze was in de grote zaal met de meisjes van de Heilige Naam om de boom te versieren voor het banket voor de misdienaars. Hij keek toe in de deuropening, verlustigde zijn ogen aan de glorie van haar hoogreikende lieflijkheid. Rosa: zilverpapier en chocoladerepen, de geur van een nieuwe voetbal, doelpalen met vlaggedoek, een home-run met alle honken bezet. Ik ben ook een Italiaan, Rosa. Kijk maar, mijn ogen lijken op de jouwe. Rosa, ik hou van je.

Zuster Maria Ethelbert kwam voorbijlopen.

'Kom, kom, Arturo. Niet zo treuzelen.'

Ze had de leiding van de misdienaars. Hij volgde haar zwart golvend habijt naar de 'kleine zaal' waar een zeventigtal jongens, namelijk alle mannelijke leerlingen, wachtten op haar komst. Ze beklom het podium en klapte in haar handen om stilte.

'Hup jongens, op jullie plaatsen.'

Ze gingen in de rij staan, vijfendertig paren. De kleinste jongens vooraan, de grote achteraan. Arturo's rijgenoot was Wally O'Brien, het joch dat bij de First National Bank de *Denver Post* verkocht. Ze waren nummer vijfentwintig van voren af, nummer tien van achteren af. Het was Arturo een doorn in het vlees. Acht jaar lang, al vanaf de kleuterschool, waren Wally en hij maatjes geweest. Elk jaar waren ze verder naar achteren opgeschoven, en toch was het nooit gelukt, waren ze nooit lang genoeg geworden om bij de laatste drie stellen te horen, waar de grote jongens stonden, waar de moppen vandaan kwamen. Nu waren ze in hun laatste schooljaar, en ze zaten nog steeds knel tussen een stel miezerige zesde- en zevendeklassertjes. Ze verborgen hun smaad onder een uiterst ruwe, godlasterende buitenkant, die de miezerige zesdeklassertjes een onwillig, timide respect voor hun brutale wereldwijsheid afdwong.

Maar Wally O'Brien bofte. Hij had geen last van kleinere broertjes in de rij. Met toenemende verontrusting had Arturo zijn broers August en Federico telkenjare uit de voorste gelederen in zijn richting zien oprukken. Federico was nu nummer tien van voren af. Opgelucht bedacht Arturo dat deze jongste broer hem nooit voorbij zou streven. Want als Arturo in juni van school kwam, was het goddank voorgoed gedaan met het misdienaar zijn.

De echte bedreiging was het blonde hoofd vóór hem, zijn broer August. Reeds voorvoelde August zijn naderende triomf. Wanneer ze in het gelid moesten gaan staan, scheen hij Arturo's lengte te schatten met een verachtelijk glimlachje. Want August was inderdaad haast een centimeter langer maar Arturo, die er doorgaans slungelig bijstond, slaagde er altijd in zijn rug zo te rechten dat hij de kritische blik van zuster Maria Ethelbert kon doorstaan. Het was doodvermoeiend. Hij moest zijn nek uitrekken en op de bal van zijn voeten lopen, met zijn hielen een centimeter van de vloer. Ondertussen dwong hij August tot totale onderwerping door hem keiharde schoppen tegen zijn knieën te verkopen als zuster Maria Ethelbert niet keek.

Ze waren niet in misgewaad, want dit was nog maar de repetitie. Zuster Maria Ethelbert leidde hen de zaal uit, de vestibule door en langs de grote zaal, waar Arturo een glimp opving van Rosa, glitter strooiend op de kerstboom. Hij gaf August een schop en zuchtte. Rosa, jij en ik: een paar Italianen.

Ze marcheerden drie trappen af en de binnenplaats over naar de deuren van de kerk. De wijwaterbakjes waren hard bevroren. Ze knielden tegelijk. Wally O'Briens vinger prikte in de jongen voor hem. Twee uur lang oefenden ze, bromden ze Latijnse responsies, knielden, marcheerden in militaire vroomheid. *Ad deum qui laetificat juventutem meum.*

Om vijf uur, moe en balorig, waren ze klaar. Zuster Maria Ethelbert liet hen voor een laatste inspectie aantreden. Arturo's tenen deden zeer van het dragen van zijn volle gewicht. Van vermoeidheid liet hij zich op zijn hielen zakken. Het was één ogenblik van onoplettendheid dat hem duur kwam te staan. Op dat moment bespeurde zuster Maria Ethelberts scherpe blik een knik in de rij die begon en eindigde bij Arturo's kruin. Hij kon haar gedachten lezen en zijn vermoeide tenen spanden zich vergeefs in om zich te verheffen. Te laat, te laat. Op haar instigatie verwisselden hij en August van plaats.

Zijn nieuwe partner was een jochie uit de vierde dat Wilkins heette, een bril van celluloid droeg en in zijn neus peuterde. Achter hem stond August in schijnheilige triomf, een meedogenloos honende glimlach om zijn lippen, en gaf geen kik. Wally O'Brien keek zijn gewezen vriendje verslagen en bedroefd aan, want ook Wally was vernederd door de indringing van deze omhooggevallen zesdeklasser. Het was de genadeslag voor Arturo. Uit zijn mondhoek fluisterde hij tegen August: 'Jij smerige – wacht maar tot we buiten zijn.'

Arturo wachtte hem op na de repetitie. Ze ontmoetten elkaar bij de hoek. August liep snel, alsof hij zijn broer niet gezien had. Arturo versnelde zijn pas.

'Waarom zo'n haast, lange?'

'Ik haast me niet, kleine.'

'Jawel, lange. Wil je soms een beetje sneeuw in je gezicht gewreven hebben?'

'Nee. Laat me met rust, kleine.'

'Ik zal je niets doen, lange. Ik loop alleen maar mee naar huis.'

'Pas op als je 't probeert.'

'Ik zal je niet aanraken, lange. Hoe kom je daar nu bij?'

Ze naderden de steeg tussen de methodistenkerk en het Colorado Hotel. Eenmaal door de steeg was August veilig in het gezicht van de hotelgasten voor het raam van de lobby. Hij sprong vooruit om te rennen, maar Arturo's vuist greep hem bij zijn trui.

'Waarom zo'n haast, lange?'

'Als je me aanraakt roep ik een agent.'

'Dat zou ik maar uit m'n hoofd laten.'

Een coupé passeerde, langzaam rijdend. Arturo zag hoe zijn broer opeens met open mond staarde naar de inzittenden, een man en een vrouw. De vrouw reed, de man had zijn arm achter haar om gelegd.

'Kijk!'

Maar Arturo had het al gezien. Hij schoot haast in de lach, zo'n raar gezicht was het. Effie Hildegarde zat aan het stuur van de auto, en de man was Svevo Bandini.

De jongens keken elkaar onderzoekend aan. Dus dáárom had mamma zoveel vragen over Effie Hildegarde gesteld. Of Effie Hildegarde knap was. Of Effie Hildegarde een 'slechte' vrouw was.

Arturo's mond verzachtte zich in een glimlach. De situatie beviel hem wel. Die vader van hem! Die Svevo Bandini! Man – die Effie Hildegarde was me een chic mens om te zien!

'Hebben ze ons gezien?'

Arturo grinnikte. 'Nee.'

'Weet je het zeker?'

'Hij had zijn arm om haar heen, hè?'

August keek bezorgd.

'Dat is slecht. Dat is uitgaan met een andere vrouw. Het negende gebod.'

Ze sloegen de steeg in. Dat was de kortste weg. De duisternis viel snel. Plasjes onder hun voeten vroren dicht in de groeiende schemering. Ze liepen verder. Arturo glimlachte. August was bitter.

"t Is een zonde. Mamma is een fijne moeder. Een zonde is het.'

'Hou je mond.'

Ze sloegen na de steeg de hoek om naar Twelfth Street. De kerstmenigte in de winkelstraat scheidde hen nu en dan, maar ze bleven bij elkaar, de een wachtend tot de ander zich door de mensendrom had gewerkt. De straatlantaarns gingen aan.

'Arme mamma. Ze is beter dan Effie Hildegarde.'

'Hou je mond.'

'Het is een zonde.'

'Wat weet jij daarvan? Hou je mond.'

'Alleen omdat mamma niet zulke mooie kleren heeft...'

'Hou je mond, August.'

'Een doodzonde.'

'Je bent stom. Je bent te klein. Je weet er niets van.'

'Ik weet wat zonde is. Mamma zou dat niet doen.'

De manier waarop zijn vaders arm op haar schouder had gelegen. Hij had haar vaak gezien. Ze was belast met de activiteiten van de meisjes op de Vier Juli-viering in het park van het provinciehuis. Hij had haar vorige zomer op het bordes van het provinciehuis zien staan, met haar armen zwaaiend om de meisjes bij elkaar te roepen voor de grote optocht. Hij herinnerde zich haar tanden, haar fraaie tanden, haar rode mond, haar mooi mollig figuur. Hij had zijn vriendjes laten staan om in de schaduw haar met de meisjes te zien praten. Effie Hildegarde. Man, zijn vader was me een mirakel!

En hij leek op zijn vader. Er zou een dag komen dat hij en Rosa Pinelli dat ook zouden doen. Rosa, ga mee, samen de stad uit in de auto, Rosa. Jij en ik, samen de stad uit, Rosa. Jij rijdt en we zoenen, maar jij rijdt, Rosa.

'Wedden dat de hele stad het weet,' zei August.

'Waarom niet? Je bent al net als de rest. Enkel omdat papa arm is, enkel omdat hij een Italiaan is.'

'Het is een zonde,' zei hij, met een felle trap tegen hardbevroren brokken sneeuw. 'Kan me niet schelen wat hij is – of hoe arm. Het is een zonde.'

'Je bent een uil. Een sufferd. Je hebt er geen verstand van.'

August gaf geen antwoord. Ze namen de kortste weg over de

schraagbrug die de kreek overspande. Ze liepen in ganzenpas, met gebogen hoofd, zorgvuldig binnen de grenzen van het diepe pad door de sneeuw. Ze namen de schraagbrug, op hun tenen stappend van biels op biels, de bevroren kreek tien meter lager. De stille avond sprak tot hen, fluisterde over een man ergens in dezelfde schemering, een vrouw naast hem die niet de zijne was. Ze daalden het talud van de spoorlijn af en volgden een vaag spoor dat ze zelf gedurende die hele winter op de heen- en terugweg tussen school en huis hadden gemaakt, dwars door het weiland van Alzi, met zijn brede vlakten van wit aan weerszijden van het pad, maandenlang onaangeroerd, diep en glinsterend in de geboorte van de avond. Thuis was nog vierhonderd meter, maar één blok verder dan de schutting om de wei van Alzi. In dit grote weiland hadden ze een groot deel van hun leven doorgebracht. Het strekte zich uit vanaf de achtertuinen van de allerlaatste huizenrij van de stad, vermoeide bevroren populieren verstard in de wurggreep van lange winters aan één kant, en een kreek die niet langer lachte aan de andere. Onder die sneeuw lag wit zand, eens heerlijk warm na het zwemmen in de kreek. Elke boom borg herinneringen. Elke schuttingpaal telde voor een droom, omsloot die voor vervulling in elke nieuwe lente. Voorbij die berg stenen, tussen twee hoge populieren, was het graf van hun honden en van Suzie de kat, die de honden had gehaat maar nu naast hen lag. Prince, overreden door een auto; Jerry, die vergiftigd vlees gegeten had; Pancho de vechter, die was weggekropen om te sterven na zijn laatste gevecht. Hier hadden ze slangen gedood, vogels geschoten, kikkers gespietst, Indianen gescalpeerd, banken beroofd, oorlogen gevoerd, in vrede plezier gemaakt. Maar in die schemering reed hun vader met Effie Hildegarde, en de stille witte vlakte van het weiland was nu slechts een plek waarlangs een vreemde weg naar huis leidde.

'Ik ga het haar vertellen,' zei August.

Arturo liep drie passen voor hem uit. Hij draaide zich snel om. 'Jij houdt je stil,' zei hij. 'Mamma heeft al zorgen genoeg.'

'Ik ga het zeggen. Hij zal ervan lusten.'

'Jij houdt je mond hierover.'

'Het is tegen het negende gebod. Mamma is onze moeder, en ik ga het zeggen.'

Arturo spreidde zijn benen en versperde de weg. August probeerde om hem heen te lopen maar aan weerszijden van het pad was de sneeuw een halve meter hoog. Zijn hoofd hing omlaag, zijn gezicht was strak van afkeer en verdriet. Arturo pakte hem bij de revers van zijn jekker en hield hem vast.

'Jij houdt je mond.'

August rukte zich los.

'Waarom zou ik? Hij is toch onze vader, ja? Waarom doet hij zoiets?'

'Moet mamma dan ziek worden?'

'Waarom doet hij het dan?'

'Stil! Geef antwoord. Moet mamma ziek worden? Want dat wordt ze als ze het hoort.'

'Ze wordt niet ziek.'

'Nee – dat weet ik. Omdat jij niks zegt.'

'Welles.'

De rug van zijn hand trof August in zijn gezicht.

'Ik zei je houdt je mond!'

Augusts lippen trilden als pudding.

'Ik zeg het toch.'

Arturo's vuist onder zijn neus verstrakte.

'Zie je die? Dat krijg je als je het zegt.'

Waarom wilde August het vertellen? Wat gaf het dat zijn vader met een andere vrouw ging? Wat maakte het uit zolang zijn moeder het niet wist? En dit was niet zomaar een andere vrouw, dit was Effie Hildegarde, een van de rijkste vrouwen van de stad. Prima werk van zijn vader, lang niet gek. Ze was niet zo goed als zijn moeder, nee; maar dat had er niets mee te maken.

'Sla me maar. Ik zeg het toch.'

De harde vuist stompte in Augusts wang. August wendde verachtelijk zijn hoofd af. 'Ga je gang, sla maar. Ik zeg het toch.'

'Je belooft dat je het niet zegt of ik sla je op je gezicht.'

'Poeh. Je doet maar. Ik zeg het toch.'

Hij hief zijn kin, klaar voor de klap. Het maakte Arturo razend.

Waarom was August zo'n verdomde idioot? Hij wilde hem niet slaan. Soms vond hij het echt fijn om August een opdonder te verkopen, maar nu niet. Hij opende zijn vuist en zette woedend zijn handen in zijn zij.

'August, luister nou,' redeneerde hij. 'Je snapt toch wel dat het niet helpt als je het tegen mamma zegt? Kun je je voorstellen hoe ze huilt? En uitgerekend nu, met Kerstmis. Het zal haar zo'n verdriet doen. Hartstikke veel verdriet. En je wilt mamma toch geen pijn doen, niet? Je wilt je eigen moeder toch geen pijn doen? Wou je zeggen dat je naar je eigen moeder gaat om haar iets te vertellen waar ze vreselijk verdriet van heeft? Is dat dan geen zonde?'

Augusts koude ogen knipperden van heilige overtuiging. De damp van zijn adem wolkte Arturo in het gezicht toen hij scherp antwoordde: 'En hij dan? Begaat hij dan geen zonde? Een grotere zonde dan ik doe.'

Arturo klemde zijn tanden opeen. Hij trok zijn muts af en smeet hem in de sneeuw. Hij smeekte zijn broer met beide vuisten.

'Je zegt het niet, godverdomme.'

'Welles.'

Met een klap sloeg hij August neer, een linkse tegen de zijkant van zijn hoofd. De jongen wankelde achteruit, verloor zijn evenwicht in de sneeuw en spartelde op zijn rug. Arturo ging op hem zitten, beiden begraven in de lichte sneeuw onder de bevroren korst. Zijn handen omsloten Augusts keel. Hij kneep hard.

'Je houdt je mond?'

De koude ogen veranderden niet.

Hij lag bewegingloos. Zo had Arturo hem nog nooit gezien. Wat moest hij doen? Hem slaan? Zonder zijn greep op Augusts nek te verslappen keek hij opzij naar de bomen waar zijn dode honden lagen. Hij beet op zijn lippen, zocht tevergeefs in zichzelf de woede die hem zou doen toeslaan.

Zwakjes zei hij: 'Alsjeblieft August, hou je mond.'

'Ik zeg het wél.'

Nu haalde hij uit. Bijna meteen scheen het bloed uit zijn broers neus te spuiten. Hij schrok zich dood. Hij zat wijdbeens op August, zijn knieën drukten Augusts armen tegen de grond. Hij kon de aanblik van Augusts gezicht niet verdragen. Onder het masker van bloed en sneeuw glimlachte August tartend, de rode stroom liep in zijn glimlach.

Arturo knielde naast hem. Hij huilde, snikte met zijn hoofd op Augusts borst, groef zijn handen in de sneeuw en herhaalde: 'Alsjeblieft August. Alsjeblieft! Je kunt alles krijgen wat ik heb. Je mag slapen aan de kant van het bed die jij wilt. Je mag al mijn bioscoopgeld hebben.'

August zweeg, glimlachte.

Weer werd hij razend. Weer haalde hij uit, dreef zijn vuist blindelings in de koude ogen. Onmiddellijk had hij spijt, kroop in de sneeuw om de stille, slappe gestalte heen.

Eindelijk verslagen stond hij op. Hij veegde de sneeuw van zijn kleren, trok zijn muts over zijn oren en kloof op zijn handen om ze te warmen. August lag daar nog terwijl het bloed uit zijn neus stroomde; August de triomfator, uitgestrekt als een dode, maar bloedend, begraven in de sneeuw, zijn koude ogen fonkelend in serene zegepraal.

Arturo was te moe. Hij wond zich niet meer op.

'Oké, August.'

Nog lag August daar.

'Sta op, August.'

Arturo's arm afwerend krabbelde hij overeind. Hij stond stil in de sneeuw, veegde zijn gezicht af met een zakdoek, sloeg sneeuw uit zijn blonde haar. Het duurde vijf minuten voor het bloeden ophield. Ze zeiden niets. August betastte voorzichtig zijn gezwollen gezicht. Arturo keek toe.

'Gaat het nu?'

Hij gaf geen antwoord terwijl hij het pad opliep in de richting van de huizenrij. Arturo volgde, door schaamte tot zwijgen gebracht; schaamte en radeloosheid. In het maanlicht merkte hij dat August hinkte. Toch was het niet zozeer een hinken als wel een karikatuur van iemand die hinkte, zoals de pijnlijke, gegeneerde tred van een beginneling na zijn eerste rit te paard. Arturo keek nog eens goed. Waar had hij dat eerder gezien? Het scheen zo bij August te passen. En toen wist hij het weer; zo liep August de slaapkamer uit, twee jaar geleden, op de ochtenden nadat hij in bed geplast had.

'August,' zei hij. 'Als jij het tegen mamma zegt, dan zeg ik tegen iedereen dat je in je bed pist.'

Hij had niet meer dan een hatelijkheid verwacht, maar tot zijn verrassing draaide August zijn hoofd om en keek hem recht aan, met een blik van ongeloof, een zweem van twijfel in de eens zo koude ogen. Onmiddellijk besprong Arturo zijn prooi, zijn zinnen opgehitst door de nabije overwinning.

'Jazeker!' schreeuwde hij. 'Ik zal het tegen iedereen zeggen. Tegen de hele wereld! Alle kinderen op school! Ik schrijf een brief aan ieder kind op school. Ik zeg het tegen iedereen die ik zie. Ik zeg het tegen de hele stad. Ik zeg dat August Bandini in zijn bed pist. Ik zal het zeggen!'

'Nee!' snikte August. 'Nee, Arturo!'

Hij schreeuwde zo hard als hij kon.

'Reken maar, alle mensen in Rocklin, Colorado! Moet je horen: August Bandini pist in bed! Twaalf jaar, en hij pist nog in zijn bed! Heb je ooit zoiets gehoord? Jippie! Moet je horen allemaal!'

'Alsjeblieft, Arturo! Schreeuw niet zo! Ik zal niets zeggen. Eerlijk niet, Arturo. Ik zal geen woord zeggen. Als je maar niet zo schreeuwt. Ik pis niet in bed, Arturo. Vroeger wel, maar nu niet meer.'

'Beloof je dat je niets tegen mamma zegt?'

August slikte en beloofde het op zijn erewoord.

'Oké,' zei Arturo. 'Oké.'

Arturo trok hem overeind en ze liepen naar huis.

6

Het leed geen twijfel: papa's afwezigheid had zijn voordelen. Als hij thuis was geweest, dan hadden er uien in de roereieren voor het avondmaal gezeten. Als hij thuis was geweest, dan hadden ze niet het wit uit het brood mogen peuteren en alleen de korst opgegeten. Als hij thuis was geweest, dan hadden ze niet zo veel suiker gekregen.

Toch misten ze hem. Maria was zo lusteloos. De hele dag liep ze traag op haar pantoffels rond te sloffen. Soms moesten ze iets twee keer zeggen voor ze hen hoorde. 's Middags zat ze thee te drinken, starend in haar kopje. Ze liet de vaat staan. Op een middag gebeurde er iets ongehoords: er verscheen een vlieg. Een vlieg! Midden in de winter! Ze zagen hem hoog tegen de zoldering zweven. Hij scheen zich moeilijk te bewegen, alsof zijn vleugels bevroren waren. Federico klom op een stoel en mepte de vlieg dood met een opgerolde krant. Hij viel op de grond. Ze gingen op hun knieën liggen en bekeken hem. Federico hield hem omhoog tussen twee vingers. Maria sloeg hem uit zijn hand en zei dat hij naar de gootsteen moest gaan om zijn handen te wassen met water en zeep. Hij weigerde. Ze greep hem bij zijn haar en sleurde hem overeind.

'Doe wat ik zeg!'

Ze waren perplex; mamma had hen nooit aangeraakt, nooit iets onaardigs tegen hen gezegd. Ze zat alweer, lusteloos, verzonken in de verveling van een theekopje. Federico waste zijn handen en droogde ze af. Toen deed hij iets heel geks: Arturo en August waren ervan overtuigd dat er iets mis was, want Federico boog zich voorover en kuste zijn moeder in de diepten van haar haren. Ze merkte het amper. Verstrooid glimlachte ze. Federico gleed op zijn knieën en legde zijn hoofd op haar schoot. Haar vingers volgden de lijnen van zijn neus en mond. Maar ze wisten dat ze Federico nauwelijks had opgemerkt. Zonder een woord stond ze op, en Federico keek haar teleurgesteld na toen ze naar de schommelstoel bij het raam in de voorkamer liep. Daar bleef ze zitten, zonder te bewegen, haar elleboog op de vensterbank, haar kin in haar hand, uitkijkend over de koude, verlaten straat.

Wonderlijke tijden. De vaat bleef onafgewassen. Soms gingen ze naar bed en was het bed niet opgemaakt. Dat was niet erg, maar ze dachten er wel over na, en ook over haar in de voorkamer bij het raam. 's Morgens bleef ze in bed en stond niet op om hen naar school te helpen. Ze kleedden zich aan, geschrokken, wierpen steelse blikken naar haar door de slaapkamerdeur. Ze lag als een dode, de rozenkrans in haar hand. In de keuken was de afwas gedaan, ergens in de loop van de nacht. Ze waren alweer verbaasd, en teleurgesteld; want ze hadden verwacht bij het ontwaken een vuile keuken aan te treffen. Dat maakte verschil. De verandering van een schone naar een vuile keuken was hun niet onwelkom. Maar dan was hij opeens weer schoon, hun ontbijt in de oven. Ze keken naar binnen voor ze naar school gingen. Alleen haar lippen bewogen.

Wonderlijke tijden.

Arturo en August liepen naar school.

'Denk erom, August. Je hebt het beloofd.'

'Huh. Ik hoef het niet eens te zeggen. Ze weet het al.'

'Niet waar.'

'Waarom doet ze dan zo?'

'Omdat ze het denkt. Maar ze weet het niet echt.'

'Komt op hetzelfde neer.'

'Niet waar.'

Wonderlijke tijden. Kerstmis was in aantocht, de stad was vol kerstbomen, en de kerstmannen van het Leger des Heils luidden de klokken. Nog maar drie winkeldagen tot Kerstmis. Ze stonden met hongerogen voor etalages. Ze zuchtten en liepen weer door. Ze dachten hetzelfde: dat het een rot-Kerstmis zou worden, en Arturo had de pest in, want hij kon vergeten dat hij arm was als hij er maar niet aan herinnerd werd: elke Kerstmis hetzelfde, altijd ontevreden, altijd verlangend naar dingen waaraan hij anders nooit dacht en die hem nu ontzegd bleven. Altijd liegen tegen de jongens: vertellen dat hij dingen zou krijgen die hij van zijn leven niet bezitten zou. Voor de rijke kinderen was Kerstmis dé dag. Zij konden erover opsnijden, en hij moest hen wel geloven.

De wintertijd, de tijd om tegen de radiatoren bij de kapstokken te staan, enkel maar te staan en leugens te vertellen. O, was het maar vast lente! O, de knal van het slaghout, de stekende pijn van een bal op zachte handpalmen. Wintertijd was kersttijd, tijd voor rijkeluiskinderen: die hadden hoge laarzen en vrolijk gekleurde dassen en met bont gevoerde wanten. Maar dat zat hem niet zo dwars. Zijn tijd was het voorjaar. Op het speelveld had je geen hoge laarzen en chique dassen! Je haalt het eerste honk niet eens met je deftige stropdasje. Maar hij loog met de anderen mee. Wat of hij kreeg met de kerst? O, een nieuw horloge, een nieuw pak, een heleboel overhemden en dassen, een nieuwe fiets, een dozijn door de bond officieel goedgekeurde Spalding wedstrijdballen.

En Rosa?

Ik hou van je, Rosa. Ze had iets. Ze was ook arm, een mijnwerkersdochter, maar ze droomden om haar heen en luisterden als ze sprak, en dat gaf niet, en hij was jaloers op haar en trots op haar, vroeg zich af of haar toehoorders er ooit bij stilstonden dat hij ook een Italiaan was, net als Rosa Pinelli.

Spreek tegen mij, Rosa. Kijk één keer deze kant uit, hierheen Rosa, waar ik naar jou kijk.

Hij moest haar een kerstcadeautje geven, en liep door de straten, keek in etalages, kocht jurken en sieraden. Kijk eens hier, Rosa. Dit is een ring die ik voor jou gekocht heb. Mag ik hem aan je vinger doen? Alsjeblieft. O, het is niets, Rosa. Ik liep in Pearl Street, en ik ging naar binnen bij juwelier Cherry om hem te kopen. Duur? Nou, nee. Driehonderd maar. Ik heb geld zat, Rosa. Heb je het niet gehoord over mijn vader? We zijn rijk. Mijn vader z'n oom in Italië. Heeft ons alles nagelaten. We komen van deftig volk daarginds. Daar wisten we niets van, maar we hebben ontdekt dat we achterneven zijn van de hertog van Abruzzi, verre familie van de koning van Italië. Maar dat hindert niet. Ik heb altijd van je gehouden Rosa, en dat ik van koninklijken bloede ben zal nooit enig verschil maken.

Wonderlijke tijden. Op een avond kwam hij vroeger thuis dan anders. Hij vond het huis leeg, de achterdeur wagenwijd open. Hij riep zijn moeder maar kreeg geen antwoord. Toen zag hij dat beide kachels uit waren. Hij zocht in elke kamer van het huis. Mantel en hoed van zijn moeder hingen in de slaapkamer. Waar kon ze dan zijn?

Hij liep de achtertuin in en riep haar.

'Mam! Hé, mam! Waar zit je?'

Hij ging terug naar het huis en maakte de kachel in de voorkamer aan. Waar zat ze, in dit weer, zonder mantel en hoed? God straffe zijn vader! Hij schudde zijn vuist tegen zijn vaders hoed die in de keuken hing. Godverdomme jij, waarom kom je niet thuis! Kijk eens wat je mamma aandoet! Het donker viel opeens in en hij werd bang. Ergens in dat koude huis kon hij zijn moeder ruiken, in elke kamer, maar ze was er niet. Hij ging naar de achterdeur en riep nog eens.

'Mam! Hé, mam! Waar ben je?'

Het vuur ging uit. Hout en kolen waren op. Hij was blij. Het gaf hem een excuus om het huis uit te gaan en meer brandstof te halen. Hij greep een kolenemmer en liep het pad af.

In het kolenhok vond hij haar, zijn moeder, zittend in het donker in een hoek, zittend op een kalkplank. Hij schrok toen hij haar zag, zo donker was het en zo wit haar gezicht, verkleumd van de kou, zittend in haar dunne jurk, starend naar zijn gezicht zonder iets te zeggen, als een dode, zijn moeder, steenkoud in de hoek. Ze zat opzij van het schamele bergje kolen in het deel van het hok waar Bandini zijn metselgerief bewaarde, zijn cement en zijn zakken kalk. Hij wreef in zijn ogen om ze te bevrijden van het verblindende sneeuwlicht. De kolenemmer viel naast hem op de grond terwijl hij tuurde en haar gestalte van lieverlee meer helderheid zag aannemen, zijn moeder zittend op een kalkplank in het donker van het kolenhok. Was ze gek geworden? En wat hield ze in haar hand? 'Mamma!' vroeg hij. 'Wat dóe je hier?'

Geen antwoord, maar haar hand ging open en hij zag wat het was: een troffel, een metseltroffel, die van zijn vader. Opstand en verzet van lichaam en geest overweldigden hem. Zijn moeder in het donker van het kolenhok met zijn vaders troffel. Het was een inbreuk op de intimiteit van een toneel dat hem alleen toebehoorde. Zijn moeder had geen recht op deze plek. Het was alsof ze hem op een jongenszonde had betrapt, precies op de plek waar hij die keren had gezeten; daar zat ze, tartte hem met zijn herinneringen, en hij kon het niet uitstaan, zij daar, met zijn vaders troffel in haar hand. Waar was dat goed voor? Waarom moest ze zo nodig de gedachte aan hem oproepen, door met zijn kleren te hannesen, zijn stoel aan te raken? O, hij had haar vaak zien kijken naar de lege plaats aan tafel; en nu zat ze hier, met zijn troffel in het kolenhok, dood te vriezen of het niets was, als een dode. In zijn woede gaf hij een trap tegen de kolenemmer en begon te huilen.

'Mamma!' vroeg hij. 'Wat doe je nou! Waarom zit je hier? Je gaat hier dood, mamma. Je bevriest!'

Ze stond op en wankelde naar de deur met witte handen voor zich uit gestrekt, het gezicht getekend door de kou, het bloed eruit weggetrokken toen ze hem voorbijliep en het halfduister van de avond in. Hoe lang ze daar gezeten had wist hij niet, misschien een uur, misschien langer nog, maar hij wist wel dat ze halfdood van de kou moest zijn. Ze liep in een waas, staarde links en rechts alsof ze het huis voor het eerst zag.

Hij schepte de emmer vol. Het hok rook scherp naar kalk en cement. Over een dakspar hing een overall van Bandini. Hij rukte eraan en scheurde hem in tweeën. Dat zijn vader met Effie Hildegarde ging was best, dat vond hij allang goed, maar waarom had zijn moeder daar zó veel verdriet van, en deed ze hém verdriet? Hij haatte zijn moeder ook; ze was een uilskuiken dat ze zich expres de dood aandeed, zich niets van de anderen aantrok, van hem en August en Federico. Ze waren allemaal gek. Hijzelf was de enige die nog een beetje bij zijn verstand was.

Maria lag in bed toen hij binnenkwam. Geheel gekleed lag ze te rillen onder de dekens. Hij keek naar haar en trok een grimas van ergernis. Eigen schuld: waarom wou ze dan ook zonder jas de deur uit? Toch vond hij dat hij medeleven moest tonen.

'Gaat het, mamma?'

'Laat me met rust,' zei haar trillende mond. 'Laat me maar met rust, Arturo.'

'Wil je een warme kruik?'

Ze gaf geen antwoord. Ze wierp hem uit haar ooghoeken een blik toe, vlug, geïrriteerd. Het was een blik die hij opvatte als haat, alsof ze hem voorgoed uit haar ogen wenste, alsof híj iets met de hele zaak had uit te staan. Hij floot verbaasd: goh, zijn moeder was me een rare, zeg; ze nam het veel te serieus.

Hij liep op zijn tenen de slaapkamer uit, niet uit angst maar om wat zijn aanwezigheid bij haar mocht aanrichten. Toen August en Federico thuis waren stond ze op en maakte het eten klaar; gepocheerde eieren, geroosterd brood, gebakken aardappelen en voor ieder een appel. Zelf raakte ze het eten niet aan. Na de maaltijd vonden ze haar op dezelfde plaats, bij het raam in de voorkamer, starend naar de witte straat, terwijl haar rozenkrans tegen de schommelstoel tikte.

Wonderlijke tijden. Het was een avond van alleen maar leven en ademen. Ze zaten rond de kachel te wachten tot er iets gebeurde. Federico kroop naar haar stoel en legde een hand op haar knie. Al biddend schudde ze als gehypnotiseerd haar hoofd. Het was haar manier om Federico te zeggen haar niet te storen, niet aan te raken, haar met rust te laten.

De volgende morgen was ze weer zichzelf, lief en glimlachend onder het ontbijt. De eieren waren op 'mamma's manier' klaargemaakt, de dooiers met een dun laagje eiwit erover. En zoals ze eruitzag! Haren strak gekamd, ogen groot en helder. Toen Federico de derde schep suiker in zijn koffie deed, wees ze hem terecht met gespeelde strengheid.

'Niet zo, Federico! Ik zal je laten zien hoe het moet.'

Ze goot het kopje leeg in de gootsteen.

'Als je je koffie zoet wilt, kun je het krijgen.'

In plaats van het koffiekopje zette ze de suikerpot op Federico's schoteltje. De pot was half vol suiker. Ze vulde hem bij met koffie. Zelfs August lachte, al moest hij toegeven dat het misschien toch een zonde was – verkwisting.

Federico proefde argwanend.

'Lekker,' zei hij. 'Alleen kan de room er niet meer bij.'

Ze lachte, greep naar haar hals, en ze waren blij haar te zien lachen, maar ze bleef lachen, schoof haar stoel opzij, sloeg voorover van het lachen. Zó grappig was het niet, dat kon het niet zijn. Ze keken haar treurig aan, maar ze hield maar niet op met lachen, in weerwil van de haar strak aanstarende gezichten. Ze zagen haar ogen vol tranen schieten, haar gezicht liep paars aan. Ze stond op, een hand over haar mond, en wankelde naar het aanrecht. Ze dronk een glas water, tot het borrelde in haar keel en ze niet verder kon drinken, en eindelijk wankelde ze naar de slaapkamer en ging op het bed liggen, waar ze lachte.

Toen was ze weer stil.

Ze stonden van tafel op en keken naar haar op het bed. Ze lag verstijfd, haar ogen als knopen in een pop, een trechter van damp stroomde uit haar hijgende mond in de koude lucht.

'Gaan jullie maar naar school,' zei Arturo. 'Ik blijf thuis.'

Toen ze weg waren ging hij naar het bed.

'Kan ik iets voor je doen, mam?'

'Ga weg, Arturo. Laat me met rust.'

'Moet ik dokter Hastings halen?'

'Nee. Laat me met rust. Ga weg. Ga naar school. Je komt nog te laat.'

'Zal ik papa gaan zoeken?'

'Als je 't waagt.'

Plotseling scheen dat het enig juiste.

'Ik ga wél,' zei hij. 'Dat is nou precies wat ik ga doen.' Hij zocht haastig naar zijn jas.

'Arturo!'

Als een kat was ze het bed uit. Toen hij zich omdraaide in de klerenkast, één arm in een trui, schrok hij, zo vliegensvlug stond ze achter hem. 'Je gaat niet naar je vader! Hoor je me – als je het waagt!' Ze boog zich zo dicht naar hem toe dat het warme speeksel van haar lippen zijn gezicht besprenkelde. Hij deinsde achteruit naar de hoek en draaide zich om, bang voor haar, bang om haar maar aan te kijken. Met een kracht die hem verbaasde greep ze hem bij zijn schouder en draaide hem terug.

'Je hebt hem toch gezien? Hij is met die vrouw.'

'Welke vrouw?' Hij rukte zich los en frommelde met zijn trui. Ze trok zijn handen los en greep hem bij de schouders, haar nagels drongen in zijn vlees.

'Arturo, kijk me aan! Je hebt hem gezien, niet?'

'Nee.'

Hij glimlachte; niet om haar pijn te doen, maar omdat hij geloofde dat de leugen succes had. Te vroeg gelachen. Ze sloot haar mond en in haar nederlaag verzachtten zich haar trekken. Ze glimlachte zwak, bang voor de waarheid, maar met een zekere voldoening dat hij haar het nieuws had willen besparen.

'Ik begrijp het al,' zei ze. 'Ik begrijp het al.'

'Je begrijpt helemaal niets. Je zegt maar wat.'

'Wanneer heb je hem gezien, Arturo?'

'Ik zeg toch dat ik hem niet gezien heb.'

Ze rechtte haar rug, trok haar schouders naar achteren.

'Ga naar school, Arturo. Het gaat best met mij. Ik heb niemand nodig.'

Maar hij bleef binnen, zwierf wat door het huis, hield de kachels bij, keek nu en dan bij haar in de kamer, waar ze lag zoals ze altijd lag, haar glazige blik op de zoldering gericht, haar kralen ratelend. Ze stuurde hem niet weer naar school, en hij voelde dat hij zich een beetje nuttig maakte, dat zijn aanwezigheid haar troostte. Na een poosje trok hij een nummer van *Gruwelverhalen* uit de schuilplaats onder de vloer en ging in de keuken zitten lezen, met zijn voeten op een houtblok in de oven.

Hij had altijd een knappe moeder willen hebben, een mooie moeder. Nu werd het een obsessie, de gedachte drong door de bladzijden van de *Gruwelverhalen* heen, kreeg vorm in het verdriet van de vrouw op het bed. Hij legde het tijdschrift neer, zat op zijn lip te bijten. Zestien jaar geleden was zijn moeder mooi geweest, want hij had haar foto gezien. O die foto! Vele malen, als hij uit school thuiskwam en zijn moeder aantrof, moe en zorgelijk en niet mooi, was hij naar de grote hutkoffer gegaan en had hem te voorschijn gehaald – een foto van een meisje met heel grote ogen en een breedgerande hoed, glimlachend met een rij kleine tanden, een beeldschoon meisje onder de appelboom in de achtertuin bij oma Toscana. O mamma, had ik je toen maar kunnen kussen! O mamma, waarom ben je zo veranderd?

Opeens wilde hij de foto nog eens zien. Hij verstopte het pulpblaadje en opende de deur van de lege kamer naast de keuken waar zijn moeders koffer werd bewaard. Hij deed de deur aan de binnenkant op slot. Huh, waarom deed hij dat? Hij draaide de sleutel weer om. De kamer leek wel een ijskast. Hij liep naar het raam waar de koffer stond. Toen ging hij terug en draaide de deur weer op slot. Vaag voelde hij dat hij iets deed dat niet mocht en toch, waarom niet: mocht hij niet eens naar een foto van zijn moeder kijken, zonder dat een gevoel iets slechts te doen hem neerhaalde? Wel, stel dat het niet echt zijn moeder was: ze was het geweest, dus wat maakte het uit?

Onder stapels linnengoed en gordijnen die zijn moeder bewaarde 'tot we een beter huis hebben', onder linten en eens door hem en zijn broers gedragen babykleertjes, vond hij de foto. O man! Hij hield hem omhoog en aanschouwde het wonder van dat lieflijke gelaat: dit was de moeder van wie hij altijd had gedroomd, dit meisje, amper twintig, wier ogen op de zijne leken, wist hij. Niet die vermoeide vrouw aan de andere kant van het huis, zij met het magere afgemartelde gezicht, de lange benige handen. Had hij haar toen maar gekend, had hij zich maar alles kunnen herinneren, had hij de wieg van die prachtige schoot maar gevoeld, had hij maar vanaf het begin in de herinnering geleefd, en toch herinnerde hij zich niets van die tijd, en was ze altijd geweest zoals ze nu was, moe en met de melancholie van de smart, de grote ogen als van iemand anders, de mond zachter, als van veel huilen. Hij volgde met zijn wijsvinger de lijn van haar gezicht, kuste het, zuchtte, fluisterde over een verleden dat hij nooit had gekend.

Toen hij de foto teruglegde viel zijn oog op iets in de hoek van de koffer. Het was een piepklein juwelendoosje van paars fluweel. Hij had het nog nooit gezien. Dat verwonderde hem, want hij had de koffer vele malen doorzocht. Het paarse doosje ging open toen hij op de veer drukte. Binnenin, op een bedje van satijn, lag een zwarte camee aan een gouden ketting. Het verbleekte schrift op een kaartje onder het satijn vertelde hem wat het was. 'Voor Maria, vandaag één jaar getrouwd. Svevo.'

Zijn geest werkte snel toen hij het doosje in zijn zak stopte en de koffer op slot deed. Rosa, gelukkig kerstfeest. Een cadeautje. Heb ik gekocht, Rosa. Heb ik heel lang voor gespaard. Voor jou, Rosa. Vrolijk kerstfeest.

De volgende morgen om acht uur wachtte hij Rosa op bij het fonteintje in de vestibule. Het was de laatste dag voor de kerstvakantie begon. Hij wist dat Rosa altijd vroeg op school kwam. Doorgaans haalde hij op het nippertje de laatste bel door de laatste twee blokken naar school te rennen. Hij wist zeker dat de langslopende nonnen hem argwanend bekeken, in weerwil van hun vriendelijke glimlachjes en kerstwensen. In zijn rechter jaszak voelde hij de veilige gewichtigheid van zijn geschenk voor Rosa.

Om kwart over acht begonnen de kinderen binnen te druppelen: meisjes natuurlijk, maar geen Rosa. Hij keek naar de elektrische klok aan de wand. Half negen, en nog geen Rosa. Hij fronste misnoegd: een heel half uur in school doorgebracht, en waarvoor? Voor niets. Zuster Celia, haar glazen oog helderder dan het andere, kwam uit de kloosterafdeling de trappen afgedaald. Toen ze hem daar op één been zag staan, Arturo, die meestal te laat was, keek ze op haar polshorloge.

'Hemeltje! Staat mijn horloge stil?'

Ze vergeleek het met de elektrische klok aan de muur.

'Ben je gisteren niet naar huis gegaan, Arturo?'

'Jawel, zuster.'

'Wou je zeggen dat je vanmorgen expres een half uur te vroeg bent gekomen?'

'Ik kwam om te werken. Achter met algebra.'

Ze glimlachte haar twijfel. 'Eén dag voor de kerstvakantie begint?'

'Ja.'

Maar hij wist dat het nergens op sloeg.

'Vrolijk kerstfeest dan, Arturo.'

'Insgelijks, zuster Celia.'

Tien over half en geen Rosa. Iedereen leek naar hem te kijken, zelfs zijn broers, die hem aangaapten alsof hij in de verkeerde school was beland, in de verkeerde stad.

'Wie hebben we dáár!'

'Rot op, klier.' Hij boog voorover om een slok ijswater te nemen.

Om tien voor negen duwde ze de grote voordeur open. Daar was ze, rood hoedje, kameelharen manteltje, overschoenen met ritsen, haar gezicht, haar hele lichaam lichtend met de koude vlam van de winterochtend. Dichter en dichterbij kwam ze, haar armen koesterend om een grote stapel boeken geslagen. Ze knikte links en rechts tegen vriendjes en vriendinnetjes, haar glimlach als een melodie in de vestibule. Daar kwam Rosa: de voorzitster van de meisjes van de Heilige Naam, de lieveling van allen, dichter en dichterbij, op overschoentjes die joyeus meeflapten, alsof ook zij van haar hielden.

Hij verstrakte zijn greep om het juwelendoosje. Een plotselinge bloedstroom daverde door zijn keel. De sprankelende, ronddwalende ogen rustten vluchtig op zijn gekwelde, extatische gezicht, zijn open mond, zijn uitpuilende ogen, toen hij zijn opwinding wegslikte.

Hij was sprakeloos.

'Rosa... ik... hier is...'

Haar blik ging hem voorbij. De frons werd een glimlach toen een klasgenootje op haar toe holde en haar meenam. Ze liepen de garderobe in, opgewonden babbelend. Zijn borst zakte in. Stik. Hij boog voorover en nam grote slokken ijswater. Stik. Hij spuugde het water uit, vol weerzin, zijn hele mond deed pijn. Stik.

De hele morgen schreef hij briefjes aan Rosa, en verscheurde ze weer. Zuster Celia liet de klas Van Dykes *De andere wijze man* lezen. Verveeld zat hij daar, zijn gedachten afgestemd op de gezondere lectuur in de pulp-blaadjes.

Maar toen Rosa aan de beurt was luisterde hij naar haar voorlezen met iets als verering. Toen pas kreeg de rommel van Van Dyke enige betekenis. Hij wist dat het zondig was, maar hij koesterde geen enkel respect voor het verhaal van de geboorte van het kindeke Jezus, de vlucht naar Egypte, het relaas van het kindje in de kribbe. Maar het was zondig als je zoiets dacht.

Tussen de middag sloop hij haar na, maar ze was geen moment alleen, altijd met vriendinnetjes. Eenmaal, toen ze met een groepje in een kring stond, keek ze over de schouder van een meisje en zag hem, alsof ze voorvoelde dat ze werd gevolgd. Toen gaf hij het op, beschaamd, en liep met veel vertoon van branie door de vestibule. De bel ging en de middaglessen begonnen. Terwijl zuster Celia in raadselen sprak over de maagdelijke geboorte, schreef hij nog meer briefjes aan Rosa, verscheurde ze en schreef nieuwe. Hij besefte nu dat hij niet was opgewassen tegen de taak haar het geschenk persoonlijk aan te bieden. Iemand anders zou het moeten doen. Het briefje waarmee hij tevreden was, luidde:

Lieve Rosa,
Een vrolijk kerstfeest gewenst door
Je mag raden wie

Het was een pijnlijke gedachte dat ze het geschenk niet zou aannemen als ze het handschrift herkende. Met stuntelig geduld herschreef hij het met zijn linkerhand, krabbelde het over in wilde hanepoten. Maar wie moest het cadeau overhandigen? Hij bestudeerde de klasgenootjes in zijn buurt. Niet één, wist hij, was in staat een geheim te bewaren. Hij loste de zaak op door twee vingers omhoog te steken. Met de suikerzoete welwillendheid van de kersttijd gaf zuster Celia met een knikje te kennen dat hij de klas uit mocht gaan. Op zijn tenen liep hij langs de zijkant naar de garderobe.

Hij herkende Rosa's mantel direct, want hij was ermee vertrouwd, omdat hij hem bij meer van dergelijke gelegenheden had betast en besnuffeld. Hij stopte het briefje in het doosje en liet het doosje in de zak glijden. Hij omarmde de mantel, snoof de geur op.

In de zijzak vond hij een paar glacéhandschoentjes. Ze waren nogal versleten, met gaatjes in de vingers.

O gossie, wat een doddige gaatjes. Hij kuste ze teder. Lieve kleine gaatjes in de vingers. Snoezige gaatjes. Huil maar niet, doddige gaatjes, hou haar vingertjes maar dapper warm, haar engelachtige vingertjes.

Hij liep terug naar het klaslokaal, langs de zijkant naar zijn plaats, zijn ogen zo ver mogelijk van Rosa afgewend, want ze mocht niets merken of hem ooit verdenken.

Toen de laatste bel ging was hij als eerste door de grote voordeuren, rende de straat uit. Vanavond zou hij weten of ze om hem gaf, want vanavond was het banket voor de misdienaars. Op zijn weg door de stad keek hij goed om zich heen of hij zijn vader ook zag, maar zijn oplettendheid werd niet beloond. Hij wist dat hij op school had moeten blijven voor de altaarrepetitie, maar die plicht was hem ondraaglijk geworden, met zijn broer August achter zich en de jongen naast hem in de rij, zo'n ellendige garnaal uit de vierde.

Bij zijn thuiskomst zag hij tot zijn verbazing een kerstboom staan, een kleine spar, in de hoek bij het raam in de voorkamer. Zijn moeder zat thee te drinken in de keuken, toonde geen enthousiasme.

'Ik weet niet wie het was,' zei ze. 'Een man met een vrachtauto.'

'Wat voor man, mamma?'

'Een man.'

'Wat voor auto?'

'Gewoon, een vrachtauto.'

'Wat stond er dan op?'

'Weet ik niet. Ik heb niet opgelet.'

Hij wist dat ze loog. Hij haatte haar om de martelaarshouding waarmee ze de toestand accepteerde. Ze had die man de boom in zijn gezicht moeten smijten. Liefdadigheid! Dacht iedereen soms dat ze het thuis zo arm hadden? Hij verdacht de buren ervan: mevrouw Bledsoe, die haar Danny en Phillip verbood met die jongen van Bandini te spelen omdat hij 1 een Italiaan was, 2 katholiek, en 3 de belhamel van een straatjongensbende die elk jaar met Halloween rommel bij haar op de veranda gooide. Zij had toch met Thanksgiving haar Danny gestuurd met een mandje, toen ze niets nodig hadden, en Bandini had toch gezegd dat-ie het weer mee kon nemen?

'Was het een auto van het Leger des Heils?'

'Ik weet het niet.'

'Had de man een pet van het Leger?'

'Weet ik niet meer.'

'Het was het Leger, ja? Wedden dat mevrouw Bledsoe ze heeft opgebeld.'

'En wat dan nog?' klonk haar stem door haar tanden. 'Ik wil dat je vader die boom ziet. Ik wil dat hij die boom ziet en begrijpt wat hij ons heeft aangedaan. Zelfs de buren weten het. O, schande over hem.'

'Maling aan de buren.'

Hij liep naar de boom met vechtlustig gebalde vuisten. 'Maling aan de buren.' De boom was bijna even hoog als hijzelf, wel een meter vijftig. Hij stormde op de stekelige dichtheid af en rukte aan de takken. Ze hadden een malse soepele veerkracht, ze bogen en kraakten maar braken niet. Toen hij de boom naar tevredenheid had verruïneerd, smeet hij hem in de sneeuw in de voortuin. Zijn moeder protesteerde niet, staarde maar in haar kopje, haar donkere ogen in doffe mijmering.

'Ik hoop dat de Bledsoes hem zien,' zei hij. 'Dat zal ze leren.' Maar hij dacht aan Rosa, en wat hij zou aantrekken naar het banket voor de misdienaars. Hij en August en zijn vader vochten altijd om de grijze lievelingsdas; hoewel Bandini beweerde dat die de jongens te ouwelijk stond, en August en hij zeiden dat hij te jong was voor een man. Toch was het altijd 'papa's das' gebleven, want hij had zo'n lekker vadergevoel, met van die kleine wijnvlekjes op de voorkant en dat vage luchtje van Toscanellisigaren. Hij hield van die das, en had altijd de smoor in als hij hem meteen na August moest dragen, want op de een of andere manier was dan dat geheimzinnige iets van zijn vader eraf. Hij hield ook van zijn vaders zakdoeken. Ze waren zo veel groter dan zijn eigen, en bezaten een zachtheid en fluwelgheid van het vele wassen en strijken door zijn moeder, en hij voelde er vaag iets in van zijn vader en moeder samen. Ze waren anders dan de stropdas, die helemaal vader was, en als hij een van zijn vaders zakdoeken gebruikte kwam er een onbestemd gevoel van zijn vader en moeder samen over hem, deel van een beeld, van een patroon.

Een hele tijd stond hij voor de spiegel in zijn kamer tegen Rosa te praten en zijn ontvangst van haar dankbetuiging te repeteren. Hij was ervan overtuigd dat het geschenk vanzelf zijn liefde zou verraden. De manier waarop hij haar die ochtend had aangekeken, de manier waarop hij haar tussen de middag was nagelopen – ze zou zonder twijfel deze inleidende manoeuvres met het sieraad in verband brengen. Hij was blij. Hij wilde openlijk voor zijn gevoelens uitkomen. Hij stelde zich voor hoe ze zou zeggen: Ik wist aldoor al dat jij het was, Arturo. En voor de spiegel antwoordde hij: 'Ach Rosa, je weet hoe het gaat, een kerel geeft zijn meisje graag een kerstcadeautje.'

Toen zijn broers om half vijf thuiskwamen had hij zich al verkleed. Een heel pak bezat hij niet, maar Maria zorgde dat zijn 'nieuwe' broek en zijn 'nieuwe' jasje altijd netjes geperst waren. Ze pasten niet bij elkaar, maar het scheelde niet veel, de broek was van blauwe gabardine en het jasje donkergrijs.

Het verkleden in zijn 'nieuwe' kleren transformeerde hem tot een toonbeeld van frustratie en ongemak, gezeten in de schommelstoel met zijn handen in zijn schoot gevouwen. Het enige wat hij deed als hij zijn 'nieuwe' kleren aan had, en dat deed hij altijd slecht, was gewoon de tijd uitzitten tot het bittere eind. Hij moest nog vier uur wachten tot het banket begon, maar er school enige troost in het feit dat hij althans vanavond geen eieren zou hoeven eten.

Toen August en Federico hem bestookten met een spervuur van vragen over de vernielde kerstboom in de voortuin, kreeg hij het benauwder dan ooit in zijn 'nieuwe' kleren. Het zou een warme lichte avond worden, dus trok hij een in plaats van twee truien aan over zijn grijze jasje en vertrok, blij dat hij de drukkende sfeer in huis achter zich kon laten.

Terwijl hij de straat uitwandelde in de schaduwwereld van

zwart en wit voelde hij de zaligheid van de naderende victorie: Rosa's glimlach straks, zijn geschenk om haar hals als ze de misdienaars in de grote zaal bediende, haar lach voor hem en hem alleen.

O, wat een avond!

Hij praatte tegen zichzelf onder het lopen, ademde diep de ijle berglucht in, draaierig van de glorie van zijn bezittingen, Rosa mijn meisje, Rosa voor mij en voor niemand anders. Eén ding verstoorde vaag zijn stemming: hij had honger, maar de leegte van zijn maag werd tenietgedaan door de overmaat van zijn geluk. Deze banketten, waarvan hij er in zijn bestaan zeven had bijgewoond, waren culinaire topprestaties. Hij zag het allemaal al voor zich, de gigantische borden met gebraden kip en kalkoen, warme krentebollen, zoete aardappelen, veenbessencompote, en zo veel chocolade-ijs als hij maar op kon, en daarbij nog Rosa met zijn geschenk, met de camee om haar hals, Rosa die glimlachend toekeek terwijl hij zich te goed deed, zijn bord vol schepte, met stralende zwarte ogen en tanden zo wit dat ze om te eten waren.

Wat een avond! Hij bukte en graaide in de witte sneeuw, liet haar smelten in zijn mond, terwijl een koude straal in zijn hals droop. Hij deed dat vele keren, zoog op de zoete sneeuw en genoot van het koude effect in zijn keel.

De reactie van zijn ingewand op het koude vocht in zijn lege maag was een zwak rommelen ergens midden in zijn lijf dat opsteeg naar de hartstreek. Hij liep over de schraagbrug, toen precies halverwege alles voor zijn ogen in zwartheid smolt. Zijn voeten verloren elke zintuiglijke waarneming. Zijn adem ging als dol geworden. Hij merkte dat hij plat op zijn rug lag. Hij was zomaar in elkaar gezakt. Diep in zijn borst hamerde zijn hart om actie. Hij omklemde het met beide handen, verlamd van schrik. O God, nu ging hij dood! De brug scheen te trillen van de heftigheid van zijn hartslag.

Maar vijf seconden, tien seconden later leefde hij nog steeds. De schrik van dat moment verschroeide nog zijn hart. Wat was er gebeurd? Waarom was hij gevallen? Hij stond op en rende de brug over, bibberend van angst. Wat had hij gedaan? Het was zijn hart, hij wist dat zijn hart had stilgestaan en weer was gaan kloppen – maar waarom?

Mea culpa, mea culpa, mea maxima culpa! Het mysterieuze universum verhief zich hoog boven hem, en hij was alleen op de spoorrails, haastig op weg naar de straat waar de mensen waren, waar het niet zo eenzaam was, en onder het rennen drong het als met priemende dolksteken tot hem door dat dit een waarschuwing van God was, dit was Zijn manier om hem te laten weten dat God zijn misdaad kende, hij de dief, die zijn moeders camee had gejat, die had gezondigd tegen de decaloog. Dief, dief, verstoteling van God, hellekind met een zwarte smet op het boek van zijn ziel.

En het kon weer gebeuren. Nu, over vijf minuten. Tien minuten. Wees gegroet Maria vol van genade, ik heb er spijt van. Nu rende hij niet langer maar liep, stapte flink door maar zonder te hollen uit vrees voor overbelasting van zijn hart. Vaarwel Rosa, gedachten van liefde, vaarwel, vaarwel, en welkom droefheid en berouw.

O, wat was God slim! O, hoe goed was de Heer voor hem, door hem nog een kans te geven, hem te waarschuwen maar niet te doden.

Kijk! Zie hoe ik loop. Ik adem. Ik leef. Ik wandel naar God. Mijn ziel is zwart. God zal mijn ziel louteren. Hij is goed voor mij. Mijn voeten raken de grond, een twee, een twee. Ik ga naar pater Andreas. Ik zal hem alles vertellen.

Hij luidde de bel van de biechtstoel. Vijf minuten later verscheen pater Andreas in de zijdeur van de kerk. De lange, kalende priester trok verbaasd zijn wenkbrauwen op toen hij slechts een enkele ziel aantrof in de versierde kerk – en die ziel een jongen, met gebalde vuisten, stijf opeengeklemde kaken, lippen in gebed bewegend. De priester glimlachte, haalde de tandestoker uit zijn mond, knielde en liep naar de biechtstoel. Arturo opende zijn ogen en zag hem naderen als een iets van prachtig zwart, en er was troost in zijn aanwezigheid, en warmte in de zwarte soutane.

'Wat is er, Arturo?' zei hij op een aangename fluistertoon. Hij legde zijn hand op Arturo's schouder. Zij was als de hand van God. Zijn wroeging bezweek onder de aanraking. Haast onmerkbaar roerde zich een ontluikende vrede in de diepte, tien miljoen kilometer diep in zijn binnenste.

'Eerwaarde vader, ik moet biechten.'

'Zeker, Arturo.'

Pater Andreas trok zijn sjerp recht en betrad de biechtstoel. Hij volgde hem, knielde in het hokje voor de boeteling, gescheiden van de priester door het houten scherm. Na het voorgeschreven ritueel zei hij: 'Ik heb gisteren in mijn moeders koffer gekeken, en toen vond ik een camee met een gouden ketting eraan, en ik heb hem gejat, pater. Ik heb hem in mijn zak gestopt, en hij was niet van mij, hij was van mijn moeder, ze had hem van mijn vader gekregen, en hij is vast heel veel geld waard, maar ik heb hem toch gejat, en ik heb hem vandaag aan een meisje op school gegeven. Ik heb gestolen goed als kerstcadeautje weggegeven.'

'Zei je dat hij veel geld waard was?' vroeg de priester.

'Het zag er wel naar uit,' antwoordde hij.

'Hoeveel geld, Arturo?'

'Het zag er heel duur uit, pater. Het spijt me ontzettend, pater. Ik zal nooit meer stelen, zolang als ik leef.'

'Ik zal je wat zeggen, Arturo,' zei de priester. 'Ik zal je absolutie geven, als je belooft dat je naar je moeder toe gaat en haar vertelt dat je die camee gestolen hebt. Precies zoals je het mij verteld hebt. Als hij haar dierbaar is en ze wil hem terug hebben, dan moet je beloven dat je hem bij dat meisje gaat halen en aan je moeder teruggeeft. En als je dat niet kunt, moet je me beloven dat je een andere voor je moeder zult kopen. Is dat niet redelijk, Arturo? Ik denk dat God het ook een eerlijke oplossing zal vinden.'

'Ik zal hem terughalen. Ik zal het proberen.'

Hij boog zijn hoofd terwijl de priester het Latijn van de absolutie prevelde. Dat was alles. Viel dat even mee. Hij verliet de biechtstoel en knielde neer in de kerk, zijn handen op zijn hart gedrukt. Het klopte vredig. Hij was gered. Het leven was toch heerlijk. Lange tijd lag hij daar geknield in de zaligheid van zijn redding. Hij en God waren weer vriendjes, en God was een fidele kerel. Maar hij nam geen risico. Twee uur lang, tot de klok acht uur sloeg, bad hij elk gebed dat hij kende. Alles kwam gelukkig toch nog goed.

De raad van de priester was een makkie. Vanavond, na het banket, zou hij zijn moeder de waarheid vertellen – dat hij haar camee had gestolen en aan Rosa gegeven. Eerst zou ze tegenstribbelen. Maar niet lang. Hij kende zijn moeder, en wist hoe hij dingen van haar gedaan kon krijgen.

Hij stak het schoolplein over en beklom de trap naar de grote zaal. De eerste die hij zag in de vestibule was Rosa. Ze liep recht op hem af.

'Ik wil je spreken,' zei ze.

'Goed Rosa.'

Hij volgde haar naar beneden, bang dat hem iets vreselijks te wachten stond. Onder aan de trap wachtte ze tot hij de buitendeur had opengedaan, haar kaken resoluut, haar kameelharen mantel strak om zich heen getrokken.

'Ik heb honger, zeg,' zei hij.

'O ja?' Haar stem was koel, hooghartig.

Ze stonden op de stoep voor de deur, bij de rand van het betonnen bordes. Ze stak haar hand uit.

'Hier,' zei ze. 'Ik wil dit niet hebben.'

Het was de camee.

'Ik kan geen gestolen goed aannemen,' zei ze. 'Mijn moeder zegt dat je dit waarschijnlijk gestolen hebt.'

'Niet!' loog hij. 'Het is niet waar!'

'Pak aan,' zei ze. 'Ik wil het niet.'

Hij stopte hem in zijn zak. Zonder een woord draaide ze zich om en wilde het gebouw binnengaan.

'Maar Rosa!'

Bij de deur keek ze nog eens om, glimlachte liefjes.

'Je moet niet stelen, Arturo.'

'Ik héb niets gestolen!' Hij sprong op haar af, sleurde haar uit de deuropening en gaf haar een duw. Ze deinsde achterwaarts naar de rand van het bordes en viel in de sneeuw, vergeefs zwaaiend met haar armen om haar evenwicht te bewaren. Toen ze neerkwam ging haar mond wijd open en ze gaf een gil.

'Ik bén geen dief,' zei hij, op haar neerkijkend.

Hij sprong de stoep af naar het trottoir en ging er zo hard hij kon vandoor. Bij de hoek keek hij even naar de camee, en wierp hem toen met al zijn kracht over het dak van een huis dat aan de straat stond. Toen liep hij weer door. Dan maar geen banket met de misdienaars. Hij had toch geen honger.

7

Kerstavond. Svevo Bandini was op weg naar huis, nieuwe schoenen aan zijn voeten, agressie in zijn kaak, schuldbewustzijn in zijn hart. Mooie schoenen, Bandini, hoe ben je daar aan gekomen? Gaat je niks aan. Hij had geld op zak. Zijn vuist duwde ertegen. Waar heb je dat geld vandaan, Bandini? Gewonnen met poker. Ik heb tien dagen poker gespeeld.

Zo.

Maar dat was zijn verhaal, en als zijn vrouw het niet geloofde, dan maar niet. Zijn zwarte schoenen verpletterden de sneeuw, de scherpe nieuwe hakken sneden erin.

Ze verwachtten hem: op de een of andere manier wisten ze dat hij in aantocht was. Het hele huis voelde het. Alles was opgeruimd, Maria zat bij het raam heel vlug haar rozenkrans te bidden, alsof er haast geen tijd meer was: nog een paar weesgegroetjes, tot hij kwam.

Vrolijk kerstfeest. De jongens hadden hun pakjes opengemaakt. Ze hadden ieder één cadeautje. Een pyjama van oma Toscana. Ze zaten daar maar in hun pyjama – te wachten. Waarop? De spanning was prettig: er stond iets te gebeuren. De pyjama's waren blauw en groen. Ze hadden ze aangetrokken omdat ze verder niets te doen hadden. Maar er stond iets te gebeuren. In de stilte van het wachten was het heerlijk om te denken dat papa thuiskwam, zonder erover te praten.

Federico moest het weer bederven.

'Ik denk dat papa vanavond thuiskomt.'

De betovering was verbroken. Het was iets dat ieder bij zichzelf had gedacht. Federico had spijt van zijn woorden en vroeg zich af waarom ze geen antwoord hadden gegeven.

Voetstappen op de veranda. Alle mensen van de hele wereld hadden op de stoep kunnen staan, maar geen een zou dat geluid hebben gemaakt. Ze keken naar Maria. Ze hield haar adem in, deed nog snel een laatste schietgebed. De deur ging open en hij kwam binnen. Hij deed zorgvuldig de deur weer dicht, alsof hij zijn hele leven had besteed aan de exacte wetenschap van het sluiten van deuren.

'Hallo.'

Hij was geen schooljongen betrapt op het stelen van knikkers, geen hond gestraft voor het vernielen van een schoen. Dit was Svevo Bandini, een volwassen man met een vrouw en drie zoons.

'Waar is mamma?' zei hij, met een directe blik op haar, als een dronkaard die wilde bewijzen dat hij een serieuze vraag kon stellen. Ginds in de hoek zag hij haar, precies waar hij wist dat ze zat, want van haar silhouet had hij het op straat al benauwd gekregen.

'O, daar is ze.'

Ik haat je, dacht ze. Ik krab je met mijn nagels je ogen uit je hoofd en maak je blind. Een beest ben je, je hebt mij pijn gedaan en ik zal niet rusten voor ik jou pijn heb gedaan.

Papa met nieuwe schoenen. Ze piepten bij zijn stap alsof er muisjes in rondrenden. Hij liep de kamer door naar de wc. Raar geluid – papa weer thuis.

Ik wou dat je dood was. Je raakt me nooit meer aan. Ik haat je, God wat heb je me aangedaan, mijn man, ik haat je zo.

Hij kwam terug en stond midden in de kamer, met zijn rug naar zijn vrouw. Hij wurmde het geld uit zijn zak. En zei tegen zijn zoons: 'Als we nu eens allemaal de stad in gingen, voor de winkels dicht zijn, jullie en mamma en ik, allemaal samen, en we gingen voor iedereen een kerstcadeautje kopen.'

'Ik wil een fiets!' zei Federico.

'Best. Jij krijgt een fiets.'

Arturo wist niet wat hij wilde hebben, August ook niet. Het

kwaad dat hij gedaan had wrong zich in Bandini's hart, maar hij lachte en zei dat ze voor iedereen wel iets zouden vinden. Een reuzekerstmis. De grootste van allemaal.

Ik zie die andere vrouw in zijn armen, ik ruik haar in zijn kleren, haar lippen hebben over zijn gezicht gezworven, haar handen zijn borst verkend. Ik walg van hem, ik kan hem wel doodslaan.

'En wat kopen we voor mamma?'

Hij draaide zich naar haar toe, met zijn ogen op het geld, terwijl hij de bankbiljetten uitrolde.

'Kijk eens wat een geld! Laten we alles maar liever aan mamma geven, hè? Al dat geld heeft papa met kaarten gewonnen. Papa kan goed kaarten, hoor.'

Hij sloeg zijn ogen op en keek naar haar, zij met haar handen om de stoelleuningen geklemd, alsof ze klaar zat om hem aan te vliegen, en hij merkte dat hij bang voor haar was, en glimlachte, niet van vrolijkheid maar van angst, want het kwaad dat hij had gedaan benam hem de moed. In een waaier stak hij het geld omhoog: vijfjes en tientjes, een honderdje zelfs, en als een veroordeelde op weg om zijn straf te ondergaan hield hij het dwaze lachje om zijn lippen toen hij vooroverboog en aanstalten maakte haar de biljetten te overhandigen, en onderwijl probeerde de oude woorden te bedenken, hun woorden, de zijne en de hare, hun taal! Ze greep zich in afgrijzen vast aan de stoel, dwong zichzelf niet te wijken voor de slang van schuld die zich kronkelde in het schrikbeeld van zijn gezicht. Nog dichter naderbij boog hij, nog maar centimeters van haar haren, volstrekt belachelijk in hun opgekamdheid, tot ze het niet meer uithield, zich niet meer beheersen kon; en zo plotseling dat het haar zelf verbaasde klauwden haar tien vingers naar zijn ogen, krabden naar beneden, een zingende kracht in haar tien lange vingers die bloedstrepen trokken in zijn gezicht terwijl hij schreeuwde en achteruit deinsde, en de borst van zijn overhemd, zijn hals en kraag de snelvallende rode druppels opvingen. Maar het waren zijn ogen, mijn God, mijn ogen, mijn ogen! En hij week achteruit en bedekte ze met zijn handen, leunde tegen de muur, zijn gezicht doortrokken van pijn, bang om zijn handen weg te halen, bang dat hij blind was.

'Maria,' snikte hij. 'O God, wat heb je me aangedaan?'

Hij kon zien; wazig, door een gordijn van rood kon hij zien en wankelend draaide hij zich om.

'O Maria, wat heb je gedaan? Wat heb je gedaan?'

Hij strompelde door de kamer. Hij hoorde zijn kinderen snikken, de woorden van Arturo: 'O God.' Rond en rond strompelde hij, bloed en tranen in zijn ogen.

'*Jesu Christi*, wat is er met me gebeurd?'

Voor zijn voeten lagen de groene biljetten en hij stommelde erdoor en eroverheen met zijn nieuwe schoenen, rode druppeltjes spatten op de glimmendzwarte punten, almaar in het rond, kermend en tastend naar de deur en naar buiten in de koude avond, de sneeuw in, de hoge stuifsneeuw in de tuin, almaar jankend, en hij schepte met zijn grote handen de sneeuw op als water en drukte haar tegen zijn gloeiendhete gezicht. Telkens opnieuw viel de sneeuw van zijn handen weer op de grond, rood doordrenkt. In het huis stonden zijn zoons versteend van schrik, in hun nieuwe pyjama, de voordeur open, het licht midden in de kamer benam hun het zicht op Svevo Bandini die zijn gezicht afbette met het linnen van de hemel. Maria zat in de stoel. Ze verroerde zich niet en staarde naar het bloed en het geld dat door de kamer verspreid lag.

Godverdomme, dacht Arturo. Naar de hel met haar.

Hij huilde, geschokt door de vernedering van zijn vader; zijn vader, die man, anders altijd zo stoer en betrouwbaar, die hij had gezien, stuurloos en gewond en huilend, zijn vader, die immers nooit huilde of hakkelde. Hij wou bij zijn vader zijn, en deed zijn schoenen aan en haastte zich naar buiten, waar Bandini voorovergebogen stond, hikkend en sidderend. Toch deed het hem goed dat hij nog iets anders hoorde, boven het hikken uit – zijn woede, zijn verwensingen. Het wond hem op zijn vader wraak te horen zweren. Ik vermoord haar, bij God, ik zal haar vermoorden. Hij begon zijn zelfbeheersing terug te krijgen. De sneeuw had de bloedstroom gestelpt. Hijgend bekeek hij zijn bebloede kleren, zijn roodbespatte handen.

'Daar zal iemand voor boeten,' zei hij. '*Sangue de la Madonna*. Het zal niet vergeten worden.'

'Papa...'

'Wat moet je?'

'Niets.'

'Ga dan naar binnen. Ga jij maar naar die krankzinnige moeder van je.'

Dat was alles. Hij worstelde zich een weg door de sneeuw naar het trottoir en beende de straat uit. De jongen zag hem gaan, zijn hoog naar de avond geheven hoofd. Het was de manier waarop hij liep, struikelend in weerwil van zijn vastberadenheid. Maar nee – na enkele meters kwam hij op zijn schreden terug: 'Jongens, vier gezellig kerstfeest. Ga met dat geld de stad in en koop wat je wilt.'

Hij liep terug, zijn neus in de wind, vervolgde zijn weg de koude avondlucht in, een diepe wond verbijtend die niet bloedde.

De jongen ging terug naar het huis. Het geld lag niet op de grond. Eén blik op Federico die bitter zat te snikken met een afgescheurd hoekje van een vijfdollar-biljet in zijn hand zei hem wat er was gebeurd. Hij deed de kachel open. De zwarte snippers verbrand papier rookten nog na. Hij sloot de kacheldeur en zocht de vloer af, kaal op de opdrogende bloedvlekken na. Hij wierp een blik vol haat op zijn moeder. Ze maakte geen beweging, zelfs niet met haar ogen, maar haar lippen gingen op en neer, want ze had haar rozenkrans weer ter hand genomen.

'Vrolijk kerstfeest!' hoonde hij.

Federico griende; August was te geschokt om iets te zeggen.

Ja, vrolijk kerstfeest. O, geef haar op haar donder, papa! Jij en ik, papa, want ik weet wat je voelt, het is mij ook overkomen, maar jij had moeten doen wat ik heb gedaan, papa, haar gewoon een grote bek geven, net als ik, en dan had je je beter gevoeld. Want hier kan ik niet tegen, papa, jij daar buiten in je eentje met al dat bloed op je gezicht, daar kan ik niet tegen.

Hij liep terug naar de veranda en ging zitten. De nacht was vol van zijn vader. Hij zag de rode vlekken in de sneeuw waar Bandini had gestrompeld, bukte zich en bracht haar naar zijn gezicht. Papa's bloed, mijn bloed. Hij stapte van de veranda en schopte schone sneeuw over de plek tot het bloed verdwenen was. Niemand mocht het zien, niemand. Toen ging hij naar huis. Zijn moeder had niet bewogen. Hoe haatte hij haar! Met één greep rukte hij de rozenkrans uit haar handen en trok hem aan stukken. Ze keek toe, als een martelares. Ze stond op en volgde hem naar buiten, de gebroken rozenkrans in zijn vuist geklemd. Hij wierp hem ver weg, in de sneeuw, strooide hem uit als zaad. Ze liep hem voorbij de sneeuw in.

Verbijsterd zag hij haar tot haar knieën in de witheid waden, als verdoofd om zich heen staren. Terwijl ze handenvol sneeuw opschepte vond ze hier en daar een kraal. Hij walgde ervan. Ze tastte over dezelfde plek als waar zijn vaders bloed de sneeuw gekleurd had.

Ze kon stikken. Hij ging weg. Hij wou naar zijn vader. Hij kleedde zich aan en liep de straat uit. Vrolijk Kerstmis. De stad was er groen en wit van. Meer dan honderd dollar zó de kachel in – maar hij en zijn broers dan? Je kon nog zo vroom en flink zijn, maar waarom moesten ze er allemaal onder lijden? Zijn moeder had te veel God in zich.

Waarheen? Hij wist het niet, maar niet thuis bij haar. Zijn vader kon hij begrijpen. Een man moest íets doen: als je nooit iets had werd het leven al te eentonig. Hij moest het eerlijk toegeven: als hij de keus had tussen Maria en mevrouw Hildegarde, dan koos hij zonder mankeren Effie. Als Italiaanse vrouwen op een zekere leeftijd kwamen werden hun benen dun en hun buik dik, hun borsten zakten uit en het sprankelende was eraf. Hij verbeeldde zich hoe Rosa Pinelli er op haar veertigste zou uitzien. Haar benen zouden net zo dun worden als die van zijn moeder, ze zou een dikke pens krijgen. Maar hij kon zich dat niet voorstellen. Die beeldschone Rosa! Dan had hij nog liever dat ze doodging. Hij stelde zich voor hoe ziekte haar deed wegkwijnen tot er een begrafenis op volgde. Dat zou hem genoegen doen. Hij zou aan haar sterfbed komen staan, ze zou zijn hand zwakjes in haar gloeiende vingers nemen en zeggen dat ze ging sterven, en dan zou hij zeggen: Jammer Rosa, je hebt je kans gehad, maar ik zal altijd aan je blijven denken, Rosa. Dan de uitvaartdienst, het gesnik, Rosa die langzaam in de aarde zakte. Maar hem zou het koud laten; hij zou erbij staan, flauwtjes glimlachend, verdiept in zijn grootse dromen. Jaren later, in het

Yankee-stadion, zou hij zich door het schreeuwen van de mensen heen een stervend meisje herinneren dat zijn hand vasthield en om vergeving vroeg; slechts enkele seconden zou hij bij die herinnering verwijlen, en dan zou hij naar de vrouwen in het publiek kijken en hen toeknikken, zíjn vrouwen, zonder één Italiaanse ertussen; blond zouden ze zijn, lang en lachend, wel tientallen, net als Effie Hildegarde, zonder dat er één Italiaanse tussen zat.

Papa, laat het haar maar voelen! Ik sta aan jouw kant, ouwe. Op een dag doe ik het ook, op een dag kom ik ook aanzetten met net zo'n lekkere meid, en niet een van het slag dat je gezicht openhaalt, niet van het slag dat mij een dief noemt.

En toch, hoe wist hij dat Rosa níet doodging? Natuurlijk, ze ging dood zoals alle mensen elke minuut dichter bij het graf kwamen. Maar stel nu eens, gewoon voor de lol, dat Rosa echt doodging! En zijn vriendje Joe Tanner dan, vorig jaar? Ongeluk met zijn fiets; de ene dag leefde hij nog en de volgende niet meer. En Nellie Frazier? Een steentje in haar schoen; ze had het er niet uitgehaald, bloedvergiftiging, en opeens was ze dood en hadden ze een begrafenis.

Hoe wist hij dat Rosa niet door een auto was overreden sinds hij haar die laatste vreselijke keer had gezien? Hoe kon hij weten dat ze niet gestorven was aan een elektrische schok? Dat gebeurde zo vaak. Waarom kon het haar niet overkomen? Natuurlijk wou hij niet echt dat ze doodging, niet echt in ernst, op zijn erewoord niet, maar toch was er altijd de kans dát. Arme Rosa – zo jong en knap – en nu dood.

Hij liep rond in het centrum, niets te beleven, alleen maar zich haastende mensen met pakjes. Hij stond voor Wilkes IJzerwaren naar de sportartikelen te kijken. Het begon te sneeuwen. Hij keek naar de bergen die schuilgingen achter donkere wolken. Er kwam een raar voorgevoel over hem: Rosa Pinelli was dood. Hij wist absoluut zeker dat ze dood was. Hij hoefde maar de drie blokken naar Pearl Street te lopen en dan twee blokken oost op Twelfth en dan stond het vast. Hij kon ernaar toe lopen en dan zou er een rouwkrans aan de voordeur van de Pinelli's hangen. Hij was er zó zeker van dat hij onmiddellijk die kant uit liep. Rosa was dood. Hij was een profeet, met een natuurlijk begrip van geheimzinnige dingen. En zo was het eindelijk uitgekomen: zijn wens was bewaarheid en nu was ze er niet meer.

Wel, wel, rare wereld. Hij sloeg zijn ogen op naar de hemel, naar de miljoenen sneeuwvlokken die naar de aarde dwarrelden. De dood van Rosa Pinelli. Hij zei het hardop, sprak een denkbeeldig gehoor toe. Ik stond voor Wilkes IJzerwaren en opeens had ik zo'n ingeving. Toen ben ik naar haar huis gelopen en ja hoor, er hing een krans aan de deur. Leuke meid, Rosa. Eeuwig zonde dat ze dood is. Hij haastte zich nu, het voorgevoel werd zwakker, en hij liep sneller, rende om het in te halen. Hij huilde, o Rosa, ga niet dood, Rosa. Leef tot ik bij je ben! Ik kom eraan Rosa, mijn liefste. Helemaal van het Yankee-stadion in een chartervliegtuig. Ik ben precies op het gazon van het provinciehuis geland – driehonderd mensen die naar mij stonden te kijken op een haar na gedood. Maar ik heb het gehaald, Rosa. Nu bén ik er, en ik zit naast je bed, net op tijd, en de dokter zegt dat je nu zult blijven leven, en dus moet ik nu weg Rosa, om nooit weer terug te komen. Terug naar de Yanks, Rosa. Naar Florida, Rosa. Voor de voorjaarstraining. De Yanks hebben me óók nodig; maar je weet waar ik ben, Rosa, je hoeft maar in de krant te kijken en dan weet je het meteen.

Er hing geen rouwkrans bij Pinelli aan de deur. Wat hij daar zag, en hij hijgde van schrik tot het zicht verhelderde door de verblindende sneeuwval heen, was een kerstkrans. Hij was blij, en ging er haastig vandoor in de storm. Tuurlijk ben ik blij! Wie wil er nu iemand zien sterven? Maar hij was niet blij, hij was helemaal niet blij. Hij was geen sterspeler bij de Yankees. Hij was niet met een vliegtuig gekomen. Hij ging niet naar Florida. Het was kerstavond in Rocklin, Colorado. Het sneeuwde als de hel, en zijn vader hield het met een vrouw die Effie Hildegarde heette. Zijn vaders gezicht was door zijn moeders nagels opengehaald en hij wist dat op dat moment zijn moeder zat te bidden, en dat zijn broers huilden, en dat de as in de kachel in de voorkamer eens honderd dollar was geweest.

Gelukkig kerstfeest, Arturo!

8

Een eenzame weg aan de westkant van Rocklin, dun en dunner wordend in de wurggreep van de vallende sneeuw. Nu valt de sneeuw in dichte vlokken. De weg kruipt naar het westen en omhoog, een steile weg. Daarboven zijn de bergen. De sneeuw! Zij smoort de wereld, en er is een lichte leegte vooruit, alleen de dunne, snel slinkende weg. Een verraderlijke weg, vol onverwachte bochten en hellingen, zich onttrekkend aan de ondermaatse pijnbomen die met hongerige witte armen naar hem grijpen.

Maria, wat heb je Svevo Bandini aangedaan? Wat heb je met mijn gezicht gedaan?

Een vierkant gebouwde man strompelt voort, zijn schouders en armen bedekt met sneeuw. Op deze plaats is de weg steil; hij worstelt zich omhoog, de diepe sneeuw trekt aan zijn benen, een man die waadt door niet gesmolten water.

Waarheen, Bandini?

Nog niet zo lang geleden, nog geen drie kwartier, had hij zich deze weg af gehaast, zo overtuigd als God zijn rechter was dat hij nooit zou terugkeren. Drie kwartier – nog geen uur zelfs, en er was veel gebeurd. En hij was op de weg terug langs een pad dat hij gehoopt had te kunnen vergeten.

Maria, wat heb je gedaan?

Svevo Bandini verborg zijn gezicht achter een bloedbevlekte zakdoek, en het woeden van de winter verborg Svevo Bandini, die de weg omhoogklom, terug naar het huis van de weduwe Hildegarde, en tot de sneeuwvlokken sprak terwijl hij klom. Vertel het aan de sneeuwvlokken, Bandini; vertel het terwijl je met je koude handen wappert. Bandini snikte – een volwassen man van tweeënveertig jaar die huilde omdat het kerstavond was en hij op weg terug naar zijn zonde, omdat hij liever bij zijn kinderen was geweest.

Maria, wat heb je gedaan?

Het ging zo, Maria: tien dagen geleden schreef je moeder die brief, en ik werd razend en liep het huis uit, omdat ik het mens niet kan uitstaan. Ik moet weg als ze komt. En dus ging ik weg. Ik heb zo veel zorgen, Maria. De kinderen. Het huis. De sneeuw: kijk naar de sneeuw vanavond, Maria. Kan ik één steen metselen in dat weer? En ik heb het moeilijk, en je moeder is in aantocht, en ik zeg bij mezelf, ik zeg, ik denk ik ga de stad in, een paar borrels pakken. Omdat ik zorgen heb. Omdat ik kinderen heb.

O, Maria.

Hij was de stad ingegaan, naar de Imperial Poolhall, en was daar tegen zijn vriend Rocco Saccone opgelopen, en Rocco had voorgesteld bij hem thuis een borrel te gaan drinken, een sigaar te roken, een praatje te maken. Hij en Rocco waren oude vrienden: twee mannen die op een koude dag in een kamer vol sigarerook whisky dronken en praatten. Kerstmis: een paar borrels. Vrolijk kerstfeest, Svevo. Grazie, Rocco. Vrolijk kerstfeest.

Rocco had zijn vriend eens aangekeken en gevraagd wat hem dwarszat, en Bandini had het hem verteld: geen geld, Rocco, de kinderen en Kerstmis. En dat secreet van een schoonmoeder. Rocco was ook arm, maar niet zo arm als Bandini, en hij had hem tien dollar aangeboden. Hoe kon Bandini die aannemen? Hij had al zo veel van zijn vriend geleend, en nu dit weer. Nee, dank je wel, Rocco. Ik drink je drank op, dat is al genoeg. En dus, *a la salute*, op de goeie ouwe tijd...

Een borrel en nog een, twee mannen in een kamer, met hun voeten op de dampende radiator. Toen klonk de zoemer boven de deur van Rocco's hotelkamer. Eenmaal, en toen nog eens: de telefoon. Rocco sprong op en haastte zich door de vestibule naar de telefoon. Na een tijdje kwam hij terug, zijn gezicht ontspannen en vriendelijk. Rocco kreeg veel telefoontjes in het hotel, want hij had een permanente annonce in de *Rocklin Herald:*

Rocco Saccone, metselaar en steenhouwer.
Alle soorten reparatiewerk. Gespeciali-
seerd in betonstorten. Tel. R.M. Hotel.

Dat was het, Maria. Een vrouw die Hildegarde heette had
Rocco opgebeld en gezegd dat haar open haard het niet deed. Kon
Rocco komen en het direct in orde maken?

Rocco, zijn vriend.

'Ga jij maar, Svevo,' zei hij. 'Misschien kun je voor de kerst nog
een paar dollar verdienen.'

Zo was het begonnen. Met Rocco's gereedschapszak op zijn rug
verliet hij het hotel, stak de stad door naar het westen, en sloeg deze
zelfde weg in, op een achternamiddag tien dagen geleden. Deze
zelfde weg, en hij herinnerde zich nog een eekhoorn onder diezelfde
boom daar, die naar hem keek toen hij voorbijging. Een paar dollar
om een haard te repareren; een karwei van een uurtje of drie,
misschien meer – een paar dollar.

De weduwe Hildegarde? Natuurlijk wist hij wie dat was, maar
wie in Rocklin kende haar niet? Een stadje van tienduizend inwoners, een vrouw die het grootste deel van de grond bezat – wie
onder die tienduizend zou haar niet kennen? Maar hij had haar
nooit goed genoeg gekend om te groeten, en dat was de zuivere
waarheid.

Dezelfde weg, tien dagen geleden, met een beetje cement en
vijfendertig kilo aan metselgereedschap op zijn rug. Dat was de
eerste keer dat hij de villa van mevrouw Hildegarde zag, die
beroemd was in Rocklin om het mooie metselwerk. Toen hij haar
in het oog kreeg in de late namiddag, scheen dat lage huis van witte
zandsteen tussen de hoge pijnbomen hem een droompaleis: on-
weerstaanbaar, het soort huis dat hij op een goede dag zou bezitten, als hij het betalen kon. Een hele tijd had hij ernaar staan staren
en staren en gewenst dat hij de hand had kunnen hebben in de
bouw, het genot van dat metselwerk, het hanteren van die lange
witte stenen, zo zacht onder metselaarshanden, en toch sterk
genoeg om een beschaving te doorstaan.

Wat denkt een man als hij de witte deur van zo'n huis nadert en zijn hand uitstrekt naar de koperen vossekop van een gepoetste klopper?

Mis, Maria.

Hij had die vrouw nog nooit gesproken tot het moment dat ze voor hem opendeed. Een vrouw langer dan hij, rond en groot. Jazeker, een knappe vrouw. Niet zoals Maria, maar toch een knappe vrouw om te zien. Donker haar, blauwe ogen. Een vrouw die eruitzag of ze geld had.

Zijn gereedschapstas verried hem.

Dus hij was Rocco Saccone, de metselaar. Aangenaam kennis te maken.

Nee, hij was een vriend van Rocco. Rocco was ziek.

Het maakte niet uit wie hij was, als hij maar iets aan die open haard kon doen. Komt u binnen, meneer Bandini, de open haard is daar. En zo kwam hij binnen, zijn hoed in de ene hand, de zak met gereedschap in de andere. Een prachtig huis, Indiaanse kleden op de vloer, een zoldering van zware balken, het houtwerk heldergeel geschilderd. Had misschien wel twintig-, ja wel dertigduizend dollar gekost.

Er zijn dingen die een man zijn vrouw niet kan vertellen. Zou Maria iets begrijpen van die golf van verlegenheid, toen hij door die fraaie kamer liep, de schaamte toen hij bijna viel doordat zijn versleten schoenen, nat van de sneeuw, niet pakten op de glanzend gele vloer? Kon hij Maria vertellen dat die aantrekkelijke vrouw een plotseling mededogen voor hem voelde? Het was waar: hoewel hij met zijn rug naar haar toe stond, voelde hij de opkomende gêne van de weduwe om hem, om zijn onbeholpen onwennigheid.

'Een beetje glad, hè?'

De weduwe lachte. 'Ik glijd ook aldoor uit.'

Maar dat was om hem over zijn verlegenheid heen te helpen. Een kleinigheid, een hoffelijk woord om hem op zijn gemak te stellen.

Met de open haard was niets ernstigs aan de hand, een paar losse stenen, een uurtje werk. Maar het ambacht kent zijn trucs, en de weduwe was rijk. Na zijn inspectie richtte hij zich op en zei dat het werk haar op vijftien dollar zou komen, materiaalkosten inbegrepen. Ze maakte geen bezwaar. Het was een beroerde gedachte toen het hem achteraf daagde wat de reden voor haar generositeit was: de toestand van zijn schoenen; ze had de doorgesleten zolen gezien toen hij op zijn knieën de haardplaats onderzocht. Uit de manier waarop ze hem opnam, zo van boven naar beneden, dat medelij-dende glimlachje, sprak een begrip dat hem de winter op het lijf had gejaagd. Dat kon hij Maria niet vertellen.

Gaat u zitten, meneer Bandini.

De diepe fauteuil bleek heerlijk comfortabel, een stoel uit de wereld van de weduwe, en hij strekte zich erin uit en bekeek de vrolijke kamer met zijn ordelijke rommel van boeken en snuisterij-en. Een ontwikkelde vrouw, behaaglijk gebed in de weelde van haar ontwikkeling. Ze zat op de divan, haar mollige benen in pure zijde gehuld, rijke zijden benen die zacht raspten toen ze ze voor zijn verbaasde ogen over elkaar sloeg. Ze vroeg hem even te blijven en met haar te praten. Hij was zo dankbaar dat hij niets kon uitbrengen, alleen maar een tevreden knorren laten horen op wat ze ook zei, de rijke duidelijke taal die uit haar diepe weelderige keel vloeide. Hij begon zich over haar te verwonderen, zijn ogen puil-den uit zijn hoofd van nieuwsgierigheid naar haar beschermde wereld, zo vrolijk en verzorgd, net als de rijke zijde die de ronde luxe van haar mooie benen accentueerde.

Maria zou schamper lachen als ze wist waarover de weduwe sprak, want hij merkte dat zijn keel dichtzat, toegeknepen door het vreemde van de situatie: zij daar, de schatrijke mevrouw Hildegar-de, die een ton, wie weet wel twee ton waard was, op nog geen anderhalve meter afstand – zo dichtbij dat hij haar kon aanraken als hij vooroverboog.

Dus hij was Italiaan? Geweldig. Vorig jaar had ze nog door Italië gereisd. Prachtig land. Hij zou wel trots zijn op zijn erfgoed. Wist hij dat Italië de bakermat van de westerse beschaving was? Had hij ooit de Campo Santo gezien, de Sint-Pieter, de schilderin-gen van Michelangelo, de blauwe Middellandse Zee? De Italiaan-se Rivièra?

Nee, dat had hij allemaal niet gezien. In simpele bewoordingen vertelde hij dat hij uit de Abruzzen kwam, dat hij nooit zover naar het noorden was geweest, nooit in Rome. Hij had hard gewerkt als jongen. Er was geen tijd geweest voor iets anders.

De Abruzzen! De weduwe wist alles. Dan had hij vast het werk van D'Annunzio gelezen – die kwam ook uit de Abruzzen.

Nee, D'Annunzio had hij niet gelezen. Hij had wel van hem gehoord, maar hij had hem nooit gelezen. Ja, hij wist dat de grote man uit zijn provincie kwam. Dat deed hem genoegen. Het stemde hem dankbaar jegens D'Annunzio. Nu hadden ze iets gemeen, maar tot zijn schrik merkte hij dat hij verder niets over het onderwerp wist te zeggen. Een volle minuut bleef de weduwe naar hem kijken, haar blauwe ogen zonder uitdrukking op zijn lippen gericht. Hij wendde in verwarring het hoofd af, liet zijn blik langs de zware balken in de zoldering glijden, de gordijnen met ruches, de her en der in zorgvuldige overdaad verspreide ditjes en datjes.

Een aardig mens, Maria, een vriendelijke vrouw die hem te hulp schoot en het gesprek vergemakkelijkte. Hield hij van metselen? Had hij een gezin? Drie kinderen? Mooi zo. Zij had ook wel graag kinderen gehad. Was zijn vrouw ook Italiaanse? Woonde hij al lang in Rocklin?

Het weer. Ze sprak over het weer. O. Toen ontviel het hem hoe hij leed onder het weer. Bijkans jankend klaagde hij over het verlet, zijn felle haat tegen de koude, zonloze dagen. Totdat ze, geschrokken van zijn bittere woordenstroom, op haar horloge keek en hem vroeg de volgende morgen terug te komen om aan het werk aan de haard te beginnen. Bij de deur, zijn hoed in de hand, wachtte hij op haar afscheidswoorden.

'Zet uw hoed op, meneer Bandini,' lachte ze. 'U vat nog kou.' Grijnzend, zijn hals en oksels van de zenuwen badend in het zweet, trok hij zijn hoed naar beneden, in verwarring en met zijn mond vol tanden.

Die nacht bleef hij bij Rocco slapen. Bij Rocco, Maria, niet bij de weduwe. De volgende dag haalde hij vuurvaste stenen en ging terug naar het huis van de weduwe om de haard te repareren. Hij spreidde een stuk canvas uit over het kleed, mengde zijn specie in een emmer, wrikte de losse stenen uit het rookkanaal en legde de nieuwe stenen op hun plaats. Vastbesloten om het karwei een volle dag te laten duren trok hij alle stenen eruit. Het had in een uur gedaan kunnen zijn, hij had er misschien niet meer dan twee of drie stenen hoeven uithalen, maar om twaalf uur was hij pas half klaar. Toen kwam de weduwe bedaard aanlopen uit een van de zoetgeurende kamers. Weer dat kloppen in zijn keel. Weer kon hij alleen maar glimlachen. En, schoot het al op? Hij had een mooi stuk werk geleverd: geen spatje specie ontsierde de vlakken van de stenen die hij had gemetseld. Zelfs het canvas was schoon, de oude stenen netjes op een stapel aan de zijkant. Dat zag ze, en het deed hem plezier. Geen hartstocht lokte hem toen ze bukte om naar de nieuwe stenen in de haard te kijken, haar achterste zo rond en rimpelloos in het corset toen ze op haar hurken zakte. Nee Maria, zelfs niet haar hoge hakken, haar dunne blouse, de geur van haar parfum in haar donkere haar, bewogen hem tot een verdwaalde gedachte aan ontrouw. Als tevoren bekeek hij haar met nieuwsgierige verwondering: de vrouw die een ton, misschien wel twee ton op de bank had staan.

Hij had zich voorgenomen om voor het middagmaal weer naar de stad te gaan, maar daar kwam niets van in. Zodra ze dat hoorde stond ze erop dat hij bleef als haar gast. Zijn ogen konden de hare, koud en blauw, niet ontmoeten. Hij boog zijn hoofd, krabde met een schoenpunt over het canvas en verontschuldigde zich. Lunchen met de weduwe Hildegarde? Met haar aan één tafel zitten en eten in zijn mond stoppen terwijl die vrouw tegenover hem zat? Hij kon zijn weigering nauwelijks over zijn lippen krijgen.

'Nee nee, mevrouw Hildegarde, dank u wel. Dank u vriendelijk. Nee, alstublieft. Dank u.'

Maar hij bleef toch, want hij durfde haar niet te beledigen. Hij stak lachend zijn bemortelde handen uit en vroeg of hij ze mocht wassen, en ze wees hem de weg door een smetteloos witte hal naar de badkamer. Die was haast een juwelendoosje, glanzende gele tegels, gele wasbak, gordijntjes van lavendelkleurige organdie voor het hoge raam, een vaasje paarse bloemen op de kaptafel, parfumflesjes met gele stoppen, geel toiletstel. Hij maakte rechtsomkeert en was er bijna vandoor gegaan. Had ze naakt voor hem gestaan dan was hij niet zó geschrokken. Die vuile handen van hem waren al dit moois onwaardig. Hij nam liever de gootsteen, net als thuis. Maar haar ongedwongen manier van doen stelde hem gerust, en hij trad eerbiedig binnen op de bal van zijn voeten, en stond voor de wastafel in kwellende besluiteloosheid. Hij draaide de waterkraan open met zijn elleboog, uit angst er vieze vingers op achter te laten. De geurige groene zeep was uitgesloten; hij deed wat hij kon met alleen water. Toen hij klaar was, droogde hij zijn handen af met een slip van zijn overhemd en liet de zachte groene handdoeken aan de muur voor wat ze waren. Dit wedervaren maakte hem benauwd voor wat hem aan tafel te wachten stond. Voor hij de badkamer verliet, knielde hij neer op de grond en nam met zijn hemdsmouw nog een paar druppels gemorst water op.

Een lunch van groene sla, ananas en verse kaas. In de eethoek gezeten, met een roze servet over zijn knieën, at hij met het argwanende gevoel dat het een grap was, dat de weduwe hem in de maling nam. Maar ze at het zelf ook, en met zo veel smaak dat het eventueel nog wel genietbaar leek. Als Maria hem zulk eten had voorgezet had hij het uit het raam gesmeten. Toen bracht de weduwe thee in een dun porseleinen kopje. Op het schoteltje twee witte koekjes, niet groter dan zijn duimnagel. Thee en koekjes. *Diavolo!* Hij had thee altijd geïdentificeerd met verwijfdheid en gebrek aan pit, en hij hield niet van zoetigheid. Maar de weduwe knabbelde tussen twee vingers op een koekje en glimlachte welwillend toen hij de koekjes achterover sloeg alsof het akelige pillen waren.

Lang voordat ze haar tweede koekje op had, was hij al uitgegeten, had hij zijn theekopje leeggedronken, en leunde hij achterover op de achterste poten van zijn stoel, terwijl zijn maag mauwend en kraaiend protest aantekende tegen dit vreemd bezoek. Ze hadden de hele lunch niet gesproken, geen woord. Het maakte hem ervan bewust dat ze ook niets te zeggen hadden. Nu en dan lachte ze, eenmaal over de rand van haar theekopje. Hij werd er verlegen en droevig van: het leven der rijken, besloot hij, was niets voor hem. Thuis had hij gebakken eieren en een homp brood gegeten, weggespoeld met een glas wijn.

Toen ze klaar was tipte ze met de punt van haar servet aan de hoeken van haar karmijnrode mond, en vroeg of hij nog ergens zin in had. Zijn eerste opwelling was 'Wat hebt u nog meer?', maar hij klopte op zijn maag, zette zijn buik uit en streek erover.

'Nee, dank u wel, mevrouw Hildegarde. Ik zit vol – tot over mijn oren.'

Daar moest ze om lachen. Met zijn rode knobbelige vuisten in zijn broekriem bleef hij in de stoel leunen, zoog op zijn tanden en snakte naar een sigaar.

Een geweldige vrouw, Maria. Een vrouw die al zijn wensen voorkwam.

'Rookt u?' vroeg ze, een pakje sigaretten te voorschijn halend uit de tafella. Uit zijn borstzak trok hij de peuk van een Toscanellisigaar, beet de punt eraf en spuwde die op de grond, streek een lucifer aan en begon aan de sigaar te trekken. Ze stond erop dat hij lekker op zijn gemak bleef zitten, terwijl zij de borden afruimde, de sigaret bengelend in haar mondhoek. Door de sigaar ontspande hij. Hij sloeg zijn armen over elkaar en bekeek haar openlijker, bestudeerde haar gevulde heupen, de zachte blanke armen. Zelfs toen waren zijn gedachten rein, niet overschaduwd door een uit de koers geraakte wellust. Ze was een rijke vrouw en hij zat bij haar in de keuken; hij was dankbaar voor haar nabijheid, daarvoor en anders voor niets, zo waar als God zijn rechter was.

Toen zijn sigaar op was toog hij weer aan het werk. Om half vijf was hij klaar. Hij pakte zijn gereedschap in en wachtte tot ze zich weer vertoonde. De hele middag had hij haar ergens anders in huis gehoord. Hij wachtte een poosje, schraapte luidruchtig zijn keel, liet zijn troffel vallen, zong een wijsje op de woorden ''t Is klaar, 't is klaar, 't is helemaal voormekaar'. De herrie bracht haar tenslotte naar de kamer. Ze kwam binnen met een boek in haar hand en een leesbril op haar neus. Hij verwachtte dadelijk te worden betaald en was dan ook verbaasd toen ze vroeg of hij even wilde gaan zitten. Ze keek niet eens naar het werk dat hij gedaan had.

'U bent een voortreffelijk vakman, meneer Bandini. Voortreffelijk. Ik ben reuze tevreden.'

Maria mocht erom lachen, maar die woorden persten hem bijna

een traan uit de ogen. 'Ik doe mijn best, mevrouw Hildegarde, zo goed als ik kan.'

Maar ze toonde geen verlangen om hem te betalen. Weer die wittig-blauwe ogen. Hun overduidelijk taxeren maakte dat hij zijn blik naar de haard liet afdwalen. De ogen bleven op hem gericht, namen hem vaag op, als in een trance, alsof ze al mijmerend aan iets heel anders zat te denken. Hij liep naar de haard en legde zijn oog tegen de schoorsteen als om de hoek te schatten, kneep zijn lippen opeen met zo'n blik van wiskundige berekening. Toen hij dat had gedaan tot het de zin verloren moest hebben, keerde hij terug naar de diepe fauteuil en ging weer zitten. De weduwe volgde hem werktuiglijk met haar blik. Hij wilde iets zeggen, maar wat viel er te zeggen?

Tenslotte verbrak ze de stilte: ze had nog meer voor hem te doen. Ze had een huis in de stad, in Windsor Street. Ook daar was de open haard niet in orde. Zou hij daar morgen eens naar willen kijken? Ze stond op, liep door de kamer naar de schrijftafel bij het raam en schreef het adres voor hem op. Haar rug was naar hem toe gewend, haar lichaam van uit de taille voorovergebogen, haar ronde heupen in sensuele bloei, en Maria kon hem zijn ogen uit zijn hoofd krabben en spuwen in de lege kassen, maar hij zwoer dat geen kwaad zijn blik had verduisterd, geen lust zich had verscholen in zijn hart.

Die nacht, toen hij in het donker naast Rocco Saccone lag en het gierend snurken van zijn vriend hem wakker hield, was er nog een reden waarom Svevo Bandini de slaap niet vatten kon, en dat was de belofte van de volgende dag. Hij lag tevreden te knorren in het donker. *Mannaggia*, hij was niet van gisteren; hij was genoeg bij de pinken om te begrijpen dat hij indruk had gemaakt op de weduwe Hildegarde. Ze mocht dan medelijden met hem hebben, ze mocht hem dit nieuwe karwei hebben aangeboden enkel omdat ze dacht dat hij het nodig had, maar wat de reden ook was, er viel niet te twijfelen aan zijn kunnen; ze had hem een voortreffelijk ambachtsman genoemd en hem met meer werk beloond.

Laat nu de winter maar razen! Laat de temperatuur maar zakken tot onder het vriespunt. Een pak sneeuw dat de stad bedolf!

Hém een zorg: morgen was er werk. En daarna zou er altijd werk zijn. De weduwe Hildegarde mocht hem, ze had respect voor zijn vakmanschap. Met haar geld en zijn vakmanschap zou er altijd werk genoeg zijn om te lachen om de winter.

De volgende morgen om zeven uur betrad hij het huis in Windsor Street. Er woonde niemand: de voordeur was open toen hij het slot probeerde. Geen meubels, alleen kale kamers. Hij kon niet vinden wat er schortte aan de haard. Het was niet zo'n ingewikkelde als bij de weduwe thuis, maar goed gemaakt. De mortel was niet gebarsten, en de baksteen klonk massief onder het tikken van zijn hamer. Wat was er dan mee? Hij vond hout in het schuurtje achter het huis waarmee hij een vuur aanlegde. Het rookkanaal zoog gulzig de vlammen op. De warmte vulde de kamer. Niets mee aan de hand.

Om acht uur stond hij weer bij de weduwe voor de deur. Ze droeg een blauwe peignoir, ze was fris en wenste hem glimlachend goedemorgen. Meneer Bandini! Maar u moet niet buiten in de kou blijven staan. Komt u even binnen voor een kop koffie! De tegenwerping bestierf hem op de lippen. Hij schopte de sneeuw van zijn natte schoenen en liep achter de golvende blauwe peignoir aan naar de keuken. Tegen het aanrecht geleund dronk hij de koffie, goot hem in het schoteltje en blies erop om hem te laten afkoelen. Lager dan haar schouders durfde hij niet te kijken. Dat zou Maria van zijn leven niet geloven. Zenuwachtig en zonder veel woorden, gedroeg hij zich als een man.

Hij zei dat hij niet kon ontdekken wat er aan de open haard in Windsor Street mankeerde. Zijn eerlijkheid deed hem goed, te meer na het overdreven gerekte karwei van de vorige dag. De weduwe keek ervan op. Ze was er zeker van dat er iets mis was met de haard in Windsor Street. Ze vroeg of hij even wilde wachten terwijl ze zich aankleedde, dan zou ze hem terugrijden naar Windsor Street en hem laten zien waar het zat. Toen staarde ze naar zijn natte voeten.

'Meneer Bandini, draagt u schoenen maat tweeënveertig?'

Het bloed steeg hem naar het gezicht, en hij verslikte zich in zijn koffie. Vlug verontschuldigde ze zich. Het was de allerslechtste gewoonte van haar leven – die obsessie van haar om mensen naar hun schoenmaat te vragen. Een soort raadselspelletje dat ze met zichzelf speelde. Of hij het haar alsjeblieft niet kwalijk wilde nemen.

Het incident schokte hem diep. Om zijn schaamte te verbergen ging hij aan de tafel zitten, zijn schoenen eronder, uit het oog. Maar de weduwe glimlachte en bleef volhouden. Had ze goed geraden? Wás het maat tweeënveertig?

'Ja, mevrouw.'

Terwijl hij wachtte tot ze was aangekleed, dacht Svevo Bandini dat hij eindelijk iets had bereikt in de wereld. Van nu af aan moesten Helmer de bankier en al zijn schuldeisers op hun tellen passen. Bandini had óók machtige vrienden.

Maar wat had hij van die dag te verbergen? Nee – hij was juist trots op die dag. Naast de weduwe, in haar auto, reed hij dwars door de stad, Pearl Street uit, met de weduwe aan het stuur in een bontjas van zeehond. Als Maria en zijn kinderen hem zo ongedwongen met haar hadden zien babbelen, dan waren ze trots op hem geweest. Dan hadden ze met trots geheven hoofd gezegd: Daar gaat ónze papa! Maar Maria had hem het vlees van zijn gezicht gekrabd.

Wat was er dan gebeurd in het onbewoonde huis in Windsor Street? Had hij de weduwe naar een lege kamer gelokt en verkracht? Had hij haar gekust? Ga dan naar dat huis, Maria. Vraag het die koude kamers. Raag de spinnewebben uit de hoeken en vraag het ze; vraag het de kale vloeren, de ijsbloemen op de ruiten; vraag ze of Svevo Bandini kwaad heeft gedaan.

De weduwe stond voor de open haard.

'Ziet u wel,' zei hij. 'Het vuur dat ik heb aangemaakt is nog aan. Niks mee mis. Hij doet het prima.'

Ze was niet tevreden.

Dat zwarte spul, zei ze. Dat stond niet netjes in een open haard. Ze wilde dat hij er schoon en ongebruikt uitzag: ze verwachtte een mogelijke huurder en alles moest er behoorlijk bijstaan.

Maar hij was een man van eer, die geen behoefte had deze vrouw te beduvelen.

'Alle haarden worden zwart, mevrouw. Dat komt van de rook. Ze worden allemaal zo. Niets aan te doen.'

Nee, het zag er toch niet netjes uit.

Hij gaf haar uitleg over zoutzuur. Een oplossing van zoutzuur en water. Afboenen met een borstel, dan ging het zwart er wel af. Een werkje van hooguit een uur of twee –

Een uur of twee? Geen sprake van. Nee, meneer Bandini. Ze wilde alle stenen eruit gebroken hebben en nieuwe stenen erin. Hij schudde zijn hoofd over zo veel geldverspilling.

'Dat kost wel anderhalve dag, mevrouw. Minstens vijfentwintig dollar, materiaal inbegrepen.'

Ze trok de mantel dichter om zich heen, rilde in de koude kamer.

'De kosten doen er niet toe, meneer Bandini,' zei ze. 'Het moet toch gebeuren. Niets is te goed voor mijn huurders.'

Wat moest hij daar nu op zeggen? Dacht Maria dat hij zo'n klus zou laten lopen, dat hij zou weigeren? Hij handelde als een verstandig mens, blij met de kans om meer geld te verdienen. De weduwe reed hem naar de opslag.

''t Is zo koud in dat huis,' zei ze. 'U moet een kachel hebben of zoiets.'

Zijn antwoord was een naïeve verwarring, waaruit bleek dat het daar waar gewerkt wordt ook warm is, en dat het al voldoende is als een man zich vrij bewegen kan, want dan wordt zijn bloed vanzelf wel warm. Maar haar bezorgdheid maakte hem heet en benauwd naast haar in de auto, en haar geparfumeerde aanwezigheid, waarvan zijn neusgaten gedurig de welige geuren uit haar huid en kleren opsnoven, prikkelde hem. Haar gehandschoende handen stuurden de auto naar de stoeprand voor de deur van Gage Bouwmaterialen.

De oude Gage stond bij het raam toen Bandini uitstapte en met een buiging afscheid nam van de weduwe. Ze verlamde hem met een meedogenloze glimlach die zijn knieën deed beven, maar trots als een haan stapte hij het kantoortje binnen, knalde de deur dicht met een air van wie doet me wat, trok een sigaar te voorschijn, streek een lucifer af aan het blad van de toonbank, begon peinzend te dampen en blies een rookwolk in het gezicht van de oude Gage, die met zijn ogen knipperde en opzij keek, nadat Bandini's brutale blik zijn schedel had doorboord. Bandini gromde van voldoening. Was hij Gage Bouwmaterialen nog geld schuldig? Wilde de oude Gage dan éven kennis nemen van de feiten? Of hij maar in zijn oren wilde knopen dat hij met eigen ogen Bandini onder de groten der aarde had gezien. Hij bestelde honderd stuks baksteen, een zak cement en een kuub zand, te bezorgen op het adres in Windsor Street.

'En gauw een beetje,' zei hij over zijn schouder. 'Ik moet het binnen een half uur hebben.'

Hij stevende terug naar het huis in Windsor Street, zijn neus in de wind, de sterke blauwe rook van de Toscanelli rolde over zijn schouder. Maria had dat smoel van geslagen hond eens moeten zien dat de oude Gage had getrokken, de onderdanige haast waarmee hij Bandini's bestelling noteerde.

Het materiaal werd afgeleverd op het moment dat hij bij het lege huis aankwam, de vrachtwagen van Gage Bouwmaterialen parkeerde achteruit tegen de stoeprand. Hij schoot uit zijn jas en stortte zich op het werk. Dit, zwoer hij, zou een van de mooiste staaltjes metselwerk in heel Colorado worden. Over vijftig jaar, over tweehonderd jaar, zou die haard er nog zijn. Want als Svevo Bandini iets deed, dan deed hij het goed.

Hij zong onder het werk een lentelied: Kom terug naar Sorrento. Het lege huis zuchtte van de echo, de koude vertrekken weergalmden van zijn stem, het kloppen van zijn hamer en het rinkelen van zijn troffel. Een dag uit duizend was het, de tijd vloog om. De kamer werd warm van de gloed van zijn energie, de ruiten weenden van vreugde toen de ijsbloemen smolten en de straat zichtbaar werd.

Daar kwam een vrachtauto aanrijden. Bandini staakte even de arbeid om de groengejackte chauffeur een glimmend voorwerp te zien uitladen en naar het huis dragen. Een rode truck van Watson IJzerwaren. Bandini legde zijn troffel neer. Hij had niets besteld bij Watson IJzerwaren. Nee – hij zou nooit iets bij die van Watson bestellen. Die hadden eens beslag laten leggen op zijn loon voor een rekening die hij niet had kunnen betalen. Hij haatte Watson IJzerwaren, een van zijn ergste vijanden.

'Bent u Bandini?'

'Kan het jou wat schelen?'

'Nee. Hier tekenen.'

Een oliekachel van mevrouw Hildegarde voor Svevo Bandini. Hij ondertekende het papier en de chauffeur vertrok. Bandini stond voor de kachel alsof het de weduwe zelf was. Hij floot van verbazing. Dit was te veel voor een mens – veel te veel.

'Een geweldig mens,' zei hij hoofdschuddend. 'Wat een geweldig mens.'

Opeens sprongen hem de tranen in de ogen. De troffel viel uit zijn handen toen hij op zijn knieën zonk om de glimmend vernikkelde kachel te bekijken. U bent de geweldigste vrouw van de hele stad, mevrouw Hildegarde, als ik klaar ben met die haard zult u er verdomd trots op zijn!

Hij toog weer aan het werk, glimlachte nu en dan over zijn schouder naar de kachel, sprak hem toe als een kameraad. 'Hé hallo, mevrouw Hildegarde! Bent u daar nog? U staat naar mij te kijken, hè? U houdt Svevo Bandini in de gaten? Nou, u ziet hier de beste metselaar van Colorado, dame.'

Het werk vorderde sneller dan hij had gedacht. Hij ging door tot het te donker was geworden om te zien. Tegen de middag van de volgende dag zou het karwei geklaard zijn. Hij raapte zijn gereedschap bij elkaar, reinigde zijn troffel en maakte aanstalten om te vertrekken. Toen pas, op dat late uur, toen hij daar in het doffe schijnsel van de straatlantaarn stond, merkte hij dat hij had vergeten de kachel aan te steken. Zijn handen krijsten van de kou. Hij plaatste de kachel in de open haard, stak hem aan en draaide de vlam op een klein pitje. Daar stond hij veilig: zo kon hij de hele nacht branden en voorkomen dat de verse mortel bevroor.

Hij ging niet naar huis, naar zijn vrouw en kinderen. Hij bleef die nacht weer bij Rocco. Bij Rocco, Maria; niet bij een vrouw, maar bij Rocco Saccone, een man. En hij sliep goed; zonder in zwarte bodemloze putten te vallen, zonder dat groenogige slangen in zijn dromen achter hem aan glibberden.

Maria had kunnen vragen waarom hij niet was thuisgekomen. Dat was zijn zaak. *Dio rospo!* Hij hoefde toch niet alles uit te leggen?

De volgende middag om vier uur stond hij voor de weduwe met een rekening voor het werk, geschreven op briefpapier van het Rocky Mountain Hotel. Spellen ging hem slecht af en hij was zich ervan bewust. Hij had het gewoon zó gedaan: Werk 40.00. En ondertekend. De helft van het bedrag was voor het materiaal. Hij had twintig dollar verdiend. De weduwe keek niet eens naar de nota. Ze zette haar leesbril af en vroeg hem het zich gemakkelijk te maken. Hij bedankte haar voor de kachel. Hij was blij dat hij in haar huis was. Zijn gewrichten waren niet zo bevroren als eerst. Zijn voeten wisten nu weg met de glanzende vloer. Hij was voorbereid op de zachte divan voor hij ging zitten. De weduwe wuifde de kachel weg met een glimlachje.

'Dat huis leek wel een ijskelder, Svevo.'

Svevo. Ze had hem bij zijn voornaam genoemd. Hij schoot in de lach. Het was niet de bedoeling, maar de verrassing van zijn naam in haar mond overrompelde hem. De gloed in de open haard was heet. Zijn natte schoenen stonden er te dicht bij. Een bitter ruikende damp steeg eruit op. De weduwe was achter hem, liep rond in de kamer; hij durfde niet te kijken. Andermaal had hij de macht over zijn stem verloren. De ijspegel in zijn mond – dat was zijn tong, die weigerde te bewegen. Dat hete kloppen in zijn slapen dat zijn haar in vlam leek te zetten: dat was het bonzen van zijn brein dat hem geen woorden wilde ingeven. De knappe weduwe met haar tweehonderdduizend dollar op de bank had hem bij zijn voornaam genoemd. De houtblokken in het vuur sputterden hun sissende vrolijkheid. Hij zat in de vlammen te staren, zijn gezicht verstrakt in een glimlach, terwijl hij zich in de handen wreef, de botten liet kraken van vreugde. Hij verroerde geen vin, verpletterd onder zorg en welbehagen, gepijnigd door het verlies van zijn stem. Eindelijk kon hij weer spreken.

'Lekker vuurtje,' zei hij. 'Lekker.'

Geen antwoord. Hij keek over zijn schouder. Ze was er niet, maar hij hoorde haar aankomen vanuit de hal, keerde zich weer om en richtte zijn opgewonden schitterende ogen op het haardvuur. Ze kwam binnen met een blaadje met glazen en een fles. Ze zette het op de schoorsteenmantel en schonk twee glazen in. Hij zag de diamanten aan haar vingers flitsen. Hij zag haar stevige heupen, de stroomlijn, de ronding van haar vrouwelijke rug, de mollige gratie van haar arm toen ze de drank uit de fles liet klokken.

'Alsjeblieft, Svevo. Mag ik je zo noemen?'

Hij nam de bruinrode drank aan en keek ernaar, vroeg zich af wat het was, deze drank in de kleur van zijn ogen, deze drank die rijke vrouwen door hun keelgat goten. Toen herinnerde hij zich dat ze hem over zijn naam had aangesproken. Zijn bloed sloeg op hol, perste zich naar de roodaangelopen grenzen van zijn gezicht.

'Mevrouw, het zal me een zorg zijn hoe u me noemt.'

Daar moest ze om lachen en hij was blij dat hij eindelijk iets grappigs had gezegd op zijn Amerikaans, al was dat dan niet de bedoeling geweest. De drank was malaga, een zoete, hete, koppige Spaanse wijn. Hij nipte er voorzichtig van, sloeg hem toen achterover met krachtig, boers aplomb. Hij was zoet en warm in zijn maag. Hij smakte met zijn lippen, veegde met de grote spieren van zijn onderarm zijn mond af.

'Mijn God, dat is lekker.'

Ze schonk zijn glas nog eens vol. Hij maakte de geijkte tegenwerpingen, sperde zijn ogen wijd open van genot toen de wijn lachend zijn weg zocht in het uitgestoken glas.

'Ik heb een verrassing voor je, Svevo.'

Ze liep naar de schrijftafel en kwam terug met een pakje in kerstpapier. Haar glimlach werd een grimas toen ze met haar beringde vingers de rode touwtjes stuktrok en hij keek toe, stikkend van genot. Ze maakte het open en het vloeipapier binnenin kreukte alsof er beestjes in tierden. Het cadeau was een paar schoenen. Ze hield ze op, in elke hand een schoen, en zag het vlammenspel in zijn ziedende ogen. Hij hield het niet meer uit. Zijn mond vertrok in een uitdrukking van ongelovige kwelling, dat ze had geweten dat hij schoenen nodig had. Hij maakte protesterende geluiden, hij wiegde heen en weer op de divan, hij woelde met zijn knoestige vingers door zijn haar, hij hikte door een moeilijke glimlach heen, en toen verdronken zijn ogen in een zee van tranen. Weer ging zijn arm omhoog, veegde over zijn gezicht en streek het vocht uit zijn ogen. Hij tastte in zijn zak, haalde een krakende roodgestippelde zakdoek te voorschijn en snoot een paar maal snel proestend zijn neus.

'Wat doe je nu dwaas, Svevo,' lachte ze. 'Ik dacht dat je blij zou zijn.'

'Nee,' zei hij. 'Nee mevrouw Hildegarde, ik koop mijn eigen schoenen.'

Hij legde zijn hand op zijn hart.

'U geeft mij werk, en ik koop mijn eigen schoenen.'

Dat wuifde ze weg als een belachelijke gedachte. Het glas wijn bood afleiding. Hij dronk het leeg, stond op en schonk het vol en dronk het weer leeg. Ze kwam naar hem toe en legde haar hand op zijn arm. Hij keek naar haar gezicht met de meelevende glimlach, en alweer welde een golf van tranen in hem op en stroomde over zijn wangen. Zelfbeklag verscheurde hem. Dat hij zó door schaamte overweldigd werd. Hij ging weer zitten, zijn kin op zijn vuisten, zijn ogen stijf dicht. Dat dit Svevo Bandini moest overkomen!

Maar tussen zijn tranen door boog hij voorover om zijn oude doorweekte schoenen los te maken. De rechterschoen gleed met een zuigend geluid van zijn voet en er verscheen een grijze sok met gaten in de tenen, de grote teen rood en bloot. Om onduidelijke redenen wiebelde hij ermee. De weduwe lachte. Haar geamuseerdheid was zijn genezing. Het vernederde gevoel verdween. Gretig ging hij aan de gang met de andere schoen. De weduwe nipte van haar wijn en keek toe.

De schoenen waren van kangoeroeleer, zei ze, ze waren duur. Hij trok ze aan, voelde de koele zachtheid. God in de hemel, wat een schoenen! Hij strikte ze dicht en stond op. Alsof hij met blote voeten een dik tapijt betrad, zo zacht waren ze, zulke milde dingen aan zijn voeten. Hij liep door de kamer om ze te proberen.

'Precies goed,' zei hij. 'Knap van u, mevrouw Hildegarde.'

Wat nu? Ze draaide zich om en ging zitten. Hij liep naar het haardvuur.

'Ik zal ze betalen, mevrouw Hildegarde. Wat ze u gekost hebben trek ik van de rekening af.' Dat was verkeerd. Op haar gezicht lagen een verwachting en een teleurstelling die hij niet peilen kon.

'De beste schoenen die ik ooit gehad heb,' zei hij terwijl hij ging zitten en ze voor zich uit strekte. Ze liet zich op het andere eind

van de divan vallen en verzocht hem op vermoeide toon haar nog-
eens in te schenken. Hij reikte haar het glas en ze nam het zonder
dank aan, zat zwijgend van de wijn te nippen, zuchtte van lichte
ergernis. Hij voelde haar onbehagen. Misschien was hij te lang
gebleven. Hij stond op om weg te gaan. Vaag was hij zich bewust
van haar smeulend zwijgen. Haar kaak was strak, haar lippen
een dunne lijn. Misschien voelde ze zich niet goed, wilde ze alleen
zijn. Hij pakte zijn oude schoenen op en propte ze onder zijn
arm.

'Ik ga er maar eens vandoor, mevrouw.'

Ze staarde in de vlammen.

'Dankuwel, mevrouw. Als u nog eens werk voor me hebt...'

'Natuurlijk, Svevo.' Ze keek op en lachte. 'Je bent een subliem
vakman, Svevo. Ik ben erg tevreden.'

'Dankuwel, mevrouw.'

En zijn loon voor het werk? Hij liep door de kamer maar aarzelde
bij de deur. Ze zag hem niet gaan. Hij pakte de kruk en draaide hem
om.

'Dag mevrouw Hildegarde.'

Ze sprong op. Eén ogenblikje nog. Er was iets dat ze had willen
vragen. Die stapel stenen in de achtertuin, nog over van het huis.
Wilde hij daar eens naar kijken voor hij ging? Misschien wist hij
wat ze ermee beginnen kon. Hij volgde de ronde heupen door de
hal naar de achterveranda, waar hij vanuit het raam de stenen
bekeek, twee ton zandsteen onder de sneeuw. Hij dacht even na en
deed een paar voorstellen: ze kon van alles met die stenen doen —
een paadje leggen, een muurtje om de tuin bouwen, een zonnewij-
zer en een paar tuinbanken, een fontein, een verbrandingsoven.
Haar gezicht was krijtwit en geschrokken toen hij zich van het
raam afwendde en zijn arm zacht over haar kin streek. Ze had over
zijn schouder gehangen, zonder hem aan te raken. Hij verontschuldigde zich. Ze glimlachte.

'We hebben het er nog wel over,' zei ze. 'In het voorjaar.'

Ze bewoog niet terwijl ze de weg naar de hal versperde.

'Ik wil dat je al mijn werk doet, Svevo.'

Haar ogen dwaalden over hem heen, werden aangetrokken door

de nieuwe schoenen. Ze lachte weer. 'Hoe zitten ze?'

'De beste die ik ooit gehad heb.'

Er was nóg iets anders. Of hij eventjes geduld wilde hebben tot ze had bedacht wat het was? Er was iets – iets – iets – en ze bleef maar met haar vingers knippen en peinzend op haar lip bijten. Ze liepen terug door de smalle gang. Bij de eerste deur hield ze stil. Haar hand tastte naar de kruk. Het was donker in de hal. Ze duwde de deur open.

'Dit is mijn kamer,' zei ze.

Hij zag haar hart bonzen in haar keel. Haar gezicht was grijs, in haar ogen een felle glans van plotselinge schaamte. Haar beringde hand bedekte het kloppen in haar keel. Over haar schouder zag hij de kamer, het witte bed, de toilettafel, de ladenkast. Ze ging de kamer binnen, draaide de lamp aan en maakte een lichtkring midden op het tapijt.

'Een prettige kamer, vind je niet?'

Hij keek naar haar, niet naar de kamer. Hij keek naar haar, zijn ogen gingen heen en weer tussen haar en het bed. Hij voelde zich warm worden, zocht de taal van deze tekens te verstaan, van deze vrouw en deze kamer. Ze liep naar het bed, haar heupen golvend als een kluwen van slangen toen ze zich op het bed liet zakken en liggen bleef, haar hand in een leeg gebaar.

'Het is zo prettig hier.'

Een wulps gebaar, zorgeloos als wijn. De geur van dit vertrek versnelde zijn hartslag. Haar ogen waren koortsig, haar lippen weken vaneen in een gekwelde uitdrukking, die haar tanden bloot liet. Hij voelde zich onzeker. Hij kneep zijn ogen half dicht. Nee – dat kon ze niet bedoelen. Daar had die vrouw te veel geld voor. Haar rijkdom stond zo'n denkbeeld in de weg. Zulke dingen gebeurden niet.

Ze lag met haar gezicht naar hem toe, haar hoofd op haar uitgestrekte arm. De wellustige glimlach kostte haar kennelijk moeite, want ze maakte een angstige, gespannen indruk. Zijn keel reageerde met een razen van zijn bloed; hij slikte en keek opzij, naar de deur door de hal. Wat hij had gedacht moest hij vergeten. Deze vrouw was niet geïnteresseerd in een arme man.

'Ik moet maar eens gaan, mevrouw Hildegarde.'

'Domoor!' glimlachte ze.

Hij grinnikte in verwarring, in de chaos van bloed en brein. Buiten in de avondlucht zou het wel overgaan. Hij draaide zich om en liep door de hal naar de voordeur.

'Sufferd,' hoorde hij haar zeggen. 'Botte boerenpummel.' *Mannaggia!* En ze had hem niet betaald ook. Zijn lippen vertrokken in een hoonlach. Ze dacht dat ze Svevo Bandini een pummel kon noemen! Ze kwam hem tegemoet van het bed, met uitgestrekte handen om hem te omarmen. Een ogenblik later worstelde ze om zich los te rukken. Ze rilde van angstaanjagend genot toen hij achteruit stapte en haar gescheurde blouse in flarden uit zijn beide vuisten gleed.

Hij had haar de blouse van het lijf gescheurd zoals Maria het vlees van zijn gezicht had gekrabd. Nu hij eraan terugdacht, was die avond in de slaapkamer van de weduwe zelfs nu nog van grote betekenis voor hem. Er was geen ander levend wezen in dat huis, alleen hijzelf en tegen hem aan de vrouw die het uitschreeuwde van extatische pijn, snikte om genade, haar snikken geveinsd, een smeken om genadeloosheid. Hij lachte om de triomf van zijn armoede en boersheid. Die weduwe! Zij met haar rijkdom en diepe mollige warmte, slavin en slachtoffer van haar eigen provocatie, snikte nu in zalige overgave van haar nederlaag, elke snik zíjn overwinning. Hij had haar van kant kunnen maken als hij had gewild, haar schreeuwen tot een fluistering terugbrengen, maar hij stond op en liep naar de kamer waar het haardvuur lui nagloeide in de snel invallende winteravond, en liet haar huilend en hikkend op het bed liggen. Toen kwam ze naar hem toe daar bij het haardvuur en viel op haar knieën voor hem neer, haar gezicht drijfnat van tranen, en hij glimlachte en leende zich nogmaals tot die verrukkelijke foltering. En toen hij haar verliet, in haar vervulling verliet, liep hij de weg af met de diepe voldoening van de zekerheid dat hij heer en meester van de wereld was.

Het zij zo. Het aan Maria vertellen? Dit ging alleen zijn eigen ziel aan. Door Maria niets te zeggen had hij haar een gunst bewezen –

zij met haar rozenkransen en aflaten, haar geboden en gebeden. Had ze iets gevraagd, dan had hij gelogen. Maar ze had niets gevraagd. Als een kat had ze haar klauwen geslagen in de gevolgtrekking die op zijn verscheurd gezicht geschreven stond. Gij zult geen onkuisheid doen. Bah. Het was de schuld van de weduwe. Hij was haar slachtoffer.

Zíj had onkuisheid gedaan. Een willig slachtoffer.

De hele kerstweek kwam hij dagelijks bij haar thuis. Soms floot hij als hij aanklopte met de vossekop. Altijd ging de deur na een ogenblik open en ontmoette een welkomstglimlach zijn blik. Hij kon zijn verlegenheid niet van zich afschudden. Altijd was dat huis een plek waar hij niet thuishoorde, opwindend en onbereikbaar. Ze begroette hem in blauwe jurken en rode jurken, in gele en groene. Ze kocht sigaren voor hem, Chancellors in speciale kerstverpakking. Ze stonden op de schoorsteenmantel voor zijn neus; hij wist dat ze voor hem waren maar wachtte altijd tot ze hem noodde er een te nemen.

Een wonderlijk rendez-vous. Geen kussen, geen omhelzingen. Ze schudde hem hartelijk de hand bij het binnenkomen. Ze was o zo blij hem te zien – wilde hij er niet even bij gaan zitten? Hij bedankte haar en liep naar de haard. Een paar woorden over het weer, een beleefde vraag naar zijn gezondheid. Stilte als ze haar boek weer opnam.

Vijf minuten, tien.

Geen geluid dan het ritselen van de bladzijden. Soms keek ze op en glimlachte. Dan zat hij met zijn ellebogen op zijn knieën, zijn zware nek opgezet, naar de vlammen te staren en dacht zijn eigen gedachten: aan zijn huis, zijn kinderen, de vrouw naast hem, haar rijkdom, was nieuwsgierig naar haar verleden. Het omslaan van de bladzijden, het sissen en knappen van de houtblokken. Dan keek ze weer op. Waarom nam hij niet een sigaar? Ze stonden ervoor: ga je gang. Dankuwel, mevrouw. En dan stak hij op, trok aan het geurige blad, keek naar de witte rook die om zijn wangen kringelde, dacht zijn eigen gedachten.

Op het lage tafeltje stond een karaf whisky, met glazen en soda ernaast. Had hij trek in een borrel? Dan wachtte hij, terwijl de minuten voorbijgingen, haar bladzijden ritselden, tot ze hem opnieuw een blik toewierp, haar glimlach een hoffelijkheid om te laten merken dat ze wist dat hij er was.

'Wil je niet iets drinken, Svevo?'

Protesten, draaien in zijn stoel, aftikken van de as van zijn sigaar, trekken aan zijn kraag. Nee, dank u mevrouw, hij was niet wat je noemt een geregelde drinker. Af en toe – ja. Maar vandaag niet. Ze luisterde met die salonglimlach, keek hem scherp aan over de leesbril, luisterde niet echt.

'Als je trek hebt, ga gerust je gang.'

Dan schonk hij zich een hele tumbler in en sloeg hem met een bekwaam gebaar achterover. Zijn maag reageerde of het ether was, liet het verdwijnen en schiep de behoefte aan meer. Het ijs was gebroken. Hij nam er nog een en nog een; dure whisky uit Schotland, veertig cent per glas in de Imperial Poolhall. Maar nooit zonder een soort gedwongen aanloopje, een fluiten in het donker, voor hij inschonk: een kuchje, of hij wreef zich in zijn handen en stond op om haar te laten weten dat hij nog een borrel nam, of hij bromde een vormloos naamloos wijsje. Daarna werd het gemakkelijker, de drank maakte hem vrijer, en hij sloeg ze zonder aarzelen naar binnen. De whisky en de sigaren waren voor hem. Als hij vertrok was de karaf leeg en als hij terugkwam weer vol.

Het ging altijd eender, het wachten was op de avondschemering, de weduwe las en hij zat te roken en te drinken. Het kon niet duren. Kerstavond, dan zou het afgelopen zijn. Er was iets in de tijd van het jaar – Kerstmis voor de deur, het oude jaar dat stierf – dat hem zei dat het maar voor luttele dagen zou zijn, en hij voelde dat zij het ook wist.

Onder aan de heuvel, aan de andere kant van de stad, was zijn gezin, zijn vrouw en kinderen. Hij ging weg, hij kwam niet meer terug. Hij zou geld in zijn zak hebben. Intussen voelde hij zich hier prettig. Hij hield van de dure whisky, de geurige sigaren. Hij hield van deze aangename kamer en de rijke vrouw die erin woonde. Ze zat niet ver van hem af in haar boek te lezen, en over een poosje zou ze naar de slaapkamer gaan en hij zou haar volgen. Ze zou hijgen en snikken, en dan zou hij in de schemering vertrekken, vleugels van triomf aan zijn voeten. Het afscheidnemen vond hij nog het fijnst. Die roes van voldoening, dat vage chauvinisme dat hem zei dat er geen volk ter wereld als het Italiaanse was, die blijde trots op zijn boerenafkomst. De weduwe had geld – jawel. Maar daar lag ze, verpletterd, en bij God, Bandini was een beter mens dan zij.

Misschien was hij op die avonden naar huis gegaan als hij het gevoel had gehad dat het afgelopen was. Maar het was geen tijd om aan zijn gezin te denken. Nog een paar dagen en dan begon de ellende weer. Hij wilde die paar dagen doorbrengen in een andere wereld dan de zijne. Niemand wist ervan, behalve Rocco Saccone.

Rocco was blij voor hem, leende hem overhemden en dassen, zette zijn kast vol pakken voor hem open. Liggend in het donker voor het slapengaan, wachtte hij op Bandini's verslag van die dag. Over andere zaken spraken ze altijd in het Engels, maar als het over de weduwe ging spraken ze altijd Italiaans, fluisterend en besmuikt.

'Ze wil met me trouwen,' zei Bandini dan. 'Ze heeft me op haar knieën liggen smeken om van Maria te scheiden.'

'*Sì*,' antwoordde Rocco. 'Werkelijk?'

'Dat niet alleen, maar ze heeft beloofd honderdduizend dollar op me vast te zetten.'

'En wat heb je gezegd?'

'Dat ik erover zou denken,' loog hij.

Rocco hapte naar adem, gooide zich om in het donker.

'Erover denken! *Sangue de la madonna!* Ben je gek geworden? Neem het! Neem vijftigduizend! Tienduizend! Wat dan ook – al doe je het voor niets!'

Nee, zei Bandini, zo'n voorstel was uitgesloten. Honderdduizend dollar zou hem zeker een heel eind uit de problemen helpen, maar Rocco scheen te vergeten dat het ook een erezaak was en dat Bandini geen enkele behoefte had zijn vrouw en kinderen alleen om het geld te schande te maken. Rocco kreunde, rukte aan zijn haar, vloekte.

'Ezel,' zei hij. 'O *Dio!* Wat een steenezel!'

Daar schrok Bandini van. Wou Rocco soms zeggen dat hij om het geld zijn eer moest verkwanselen – voor honderdduizend dollar? Getergd knipte Rocco het licht boven het bed aan. Hij ging overeind zitten, zijn gezicht spierwit, de ogen uit zijn hoofd puilend, rode vuisten om de kraag van zijn winterborstrok geklemd. 'Of ik mijn eer zou verkopen voor honderdduizend dollar?' vroeg hij. 'Moet je zien!' Hij gaf een ruk met zijn arm en scheurde zijn borstrok vanvoren open, knopen vlogen naar alle kanten over de vloer. Hij bonkte op zijn blote borst waar zijn hart zat. 'Ik zou niet alleen mijn eer verkopen,' riep hij. 'Ik zou mezelf verkopen met lichaam en ziel, al voor vijftienhonderd dollar!'

Op een avond vroeg Rocco aan Bandini hem aan de weduwe voor te stellen. Bandini schudde twijfelend zijn hoofd. 'Jij zou haar niet begrijpen, Rocco. Ze is een vrouw van grote ontwikkeling, ze heeft gestudeerd.'

'Poeh!' zei Rocco verontwaardigd. 'Wie ben jij dan wel?'

Bandini wees erop dat de weduwe Hildegarde een verwoed lezeres van boeken was, terwijl Rocco geen Engels kon lezen of schrijven. Rocco sprak bovendien nog steeds erbarmelijk Engels. Zijn aanwezigheid zou de rest van het Italiaanse volk bepaald geen goed doen.

Rocco lachte schamper. 'Nou èn?' zei hij. 'Lezen en schrijven is ook niet alles.' Hij liep naar de kleerkast en gooide de deur open. 'Lezen en schrijven!' hoonde hij. 'En wat schiet je daarmee op? Heb jij net zo veel pakken als ik? Net zo veel dassen? Ik heb meer kleren dan de president van de universiteit van Colorado – wat is die met al dat lezen en schrijven opgeschoten?'

Hij glimlachte om die redenering van Rocco, maar Rocco had het bij het rechte eind. Metselaars en presidenten, allemaal één pot nat. Een kwestie van waar en hoe.

'Ik zal bij de weduwe een goed woordje voor je doen,' beloofde hij. 'Maar het maakt haar niet uit wat een man aan heeft. *Dio cane*, integendeel zelfs.'

Rocco knikte wijs.

'Dan hoef ik me daar geen zorgen over te maken.'

Zijn laatste uren bij de weduwe waren net als de eerste. Hallo en goedendag, ze kwamen op hetzelfde neer. Ze waren vreemden voor elkaar, met alleen de hartstocht om de kloof van wat hen scheidde te overbruggen, en die middag was er geen hartstocht.

'Mijn vriend Rocco Saccone,' zei Bandini. 'Die is ook een goeie metselaar.'

Ze liet haar boek zakken en keek hem aan over de rand van haar gouden leesbril.

'Zo?' zei ze.

Hij draaide met zijn whiskyglas.

'Een hele goeie vent.'

'Zo,' zei ze weer. Een minuut of wat bleef ze doorlezen. Misschien had hij dat niet moeten zeggen. Hij schrok zelf van de onverholen bijgedachte.

Zo zat hij te tobben over de warboel die hij ervan gemaakt had, terwijl het zweet hem uitbrak, een idiote grijns op zijn verkrampt gelaat geplakt. Hij keek uit het raam. De nacht was al aan het werk, rolde schaduwtapijten over de sneeuw uit. Zo dadelijk was het tijd om op te stappen.

Het was een bittere teleurstelling. Sloop er maar iets anders dan het beest tussen hem en die vrouw. Had hij maar het gordijn dat haar rijkdom voor hem optrok opzij kunnen rukken. Dan had hij kunnen praten zoals met welke vrouw dan ook. Ze maakte hem zo dom. *Jesu Christi!* Hij was niet gek. Hij kon zijn woordje doen. Hij had een verstand dat nadacht en tegenslagen trotseerde veel groter dan het hare. Over boeken, nee. Voor boeken was geen tijd geweest in zijn door zorgen geteisterd leven. Maar hij kende de taal van het leven beter dan zij, ondanks haar alomtegenwoordige boeken. Hij liep over van een wereld van dingen om over te praten.

Terwijl hij naar haar zat te kijken voor wat hij meende dat de laatste keer was, besefte hij dat hij niet bang was voor deze vrouw. Dat hij nooit bang voor haar was geweest, dat zij hém vreesde. De waarheid vertoornde hem, zijn geest gruwde van de prostitutie waaraan hij zijn vlees had onderworpen. Ze keek niet op van haar boek. Ze zag zijn scheve grimas van wrok en verachting niet. Opeens was hij blij dat het einde daar was. Schijnbaar zonder haast stond hij op en liep naar het raam.

"'t Wordt donker,' zei hij. 'Zo meteen ga ik weg en dan kom ik niet meer.'

Het boek ging werktuiglijk naar beneden.

'Zei je iets, Svevo?'

'Ik kom niet meer terug straks.'

'Het was erg gezellig, niet?'

'U begrijpt het niet,' zei hij. 'U begrijpt er niets van.'

'Wat bedoel je?'

Hij wist het niet. Het was er, en toch niet. Hij deed zijn mond open om iets te zeggen, opende zijn handen en spreidde ze uit.

'Een vrouw zoals u...'

Meer kon hij niet uitbrengen. Als het hem lukte, zou het slecht en grof geformuleerd zijn, en juist van datgene dat hij trachtte uit te leggen niets overlaten. Hij haalde zijn schouders op. Het had geen zin.

Laat maar, Bandini, vergeet het.

Ze was blij dat hij weer ging zitten, glimlachte haar tevredenheid, keerde weer terug naar haar boek. Hij keek naar haar, bitter gestemd. Die vrouw—ze hoorde niet tot de menselijke soort. Ze was zo koud, ze parasiteerde op zijn vitaliteit. Hij nam haar die beleefdheid kwalijk: die was een leugen. Hij verachtte haar onaandoenlijkheid, hij haatte haar deftige manieren. Nu het voorbij was en hij toch wegging, kon ze dan niet éven dat boek wegleggen en met hem praten? Misschien zouden ze niets bijzonders zeggen, maar hij was bereid het te proberen, en zij niet.

'Ik moet niet vergeten je te betalen,' zei ze.

Honderd dollar. Hij telde ze na, duwde ze in zijn achterzak.

'Is het genoeg?' vroeg ze.

Hij lachte: 'Als ik dit geld niet nodig had zou zelfs een miljoen niet genoeg zijn.'

'Wil je meer? Tweehonderd?'

Geen ruzie. Liever weggaan en voorgoed wegblijven, zonder bitterheid. Hij schoof zijn vuisten door zijn mouwen en kauwde op zijn sigaar.

'Kom je me nog eens opzoeken?'

'Natuurlijk mevrouw.'

Maar hij wist dat hij het nooit zou doen.

'Dag meneer Bandini.'

'Dag mevrouw Hildegarde.'

'Vrolijk kerstfeest.'

'Insgelijks, mevrouw Hildegarde.'

Goedendag en weer hallo in minder dan een uur.

De weduwe deed open op zijn kloppen en zag de genopte zakdoek die zijn hele gezicht verborg, op zijn bloeddoorlopen ogen na.
Haar adem stokte van schrik.

'God in de hemel!'

Hij stampte de sneeuw van zijn voeten en sloeg met een hand de
voorkant van zijn jas af. Ze zag niet de bittere voldoening in de
glimlach onder de zakdoek, hoorde niet de gesmoorde Italiaanse
verwensingen. Iemand had dit op zijn geweten en dat was niet
Svevo Bandini. Zijn ogen beschuldigden haar toen hij binnenkwam en de sneeuw van zijn schoenen in een plas op het tapijt
smolt.

Ze week achteruit naar de boekenkast, keek hem sprakeloos aan.
De hitte van het haardvuur brandde in zijn gezicht. Grommend
van woede haastte hij zich naar de badkamer. Ze liep hem na, bleef
bij de open deur staan terwijl hij rochelde in handenvol water.
Haar gezicht vertrok van medelijden toen hij naar adem snakte.
Toen hij in de spiegel keek zag hij het verwrongen, verscheurde
beeld van zichzelf en het stootte hem af, hij schudde zijn hoofd in
razende ontkenning.

'O, arme Svevo!'

Wat was er? Wat was er gebeurd?

'Wat dacht u!'

'Je vrouw?'

Hij smeerde zalf op de wonden.

'Maar dat is onmogelijk!'

'Bah.'

Ze verstrakte, hief trots haar kin.

'Volgens mij is het onmogelijk. Wie kan haar dat verteld hebben?'

'Hoe kan ik dat weten?'

Hij vond een verbanddoos in het kastje en begon repen gaas en pleister af te scheuren. De pleister was taai. Onder het tieren van een stroom verwensingen scheurde hij hem zo heftig op zijn knie doormidden dat hij achteruit tegen de badkuip viel. Triomfantelijk hield hij het stuk pleister voor zijn neus en wierp het een kwaadaardige blik toe.

'Pas op als je moeilijk doet,' zei hij tegen de pleister.

Haar hand ging omhoog om hem te helpen.

'Nee,' grauwde hij. 'Een pleister krijgt Svevo Bandini niet klein.'

Ze ging weg. Toen ze terugkwam was hij met gaas en pleisters in de weer. Er zaten vier lange stroken op elke wang, van zijn ogen tot zijn kin. Hij zag haar en schrok. Ze was gekleed om uit te gaan: bontmantel, blauwe sjaal, hoed, overschoenen. De ingetogen chic van haar allure, de dure eenvoud van haar kittig schuin gedragen hoedje, de kleurige wollen sjaal die uit de weelderige kraag van haar bontmantel bloesde, de grijze overschoenen met de keurige gespen en de lange grijze autohandschoenen bestempelden haar opnieuw tot wat ze was, een rijke vrouw die op subtiele wijze haar anders-zijn liet blijken. Het intimideerde hem.

'De deur aan het eind van de gang is de logeerkamer,' zei ze. 'Ik ben tegen twaalven wel terug, denk ik.'

'Gaat u ergens heen?'

''t Is kerstavond.' Ze zei het alsof ze zou zijn thuisgebleven als het een andere dag was geweest.

Ze was weg, het geluid van haar auto verwoei in het niets de weg af. Nu werd hij gegrepen door een vreemde impuls. Hij was alleen in het huis, helemaal alleen. Hij liep naar haar kamer en zocht en tastte door haar eigendommen. Hij trok laden open en bekeek oude brieven en paperassen. Bij de toilettafel nam hij de stop van elk parfumflesje, rook eraan en zette het precies op dezelfde plaats terug. Het was een langgekoesterde behoefte, die zich onbedwingbaar openbaarde nu hij alleen was, een behoefte om aan te raken, om op zijn gemak alles wat haar eigendom was te beruiken, te betasten en te bekijken. Hij streelde over haar lingerie, klemde haar koude sieraden tussen zijn handpalmen. Hij opende uitnodigende laatjes in haar schrijfbureau, bestudeerde vulpennen en potloden, flesjes en doosjes. Hij snuffelde de planken af, doorzocht koffers, nam elk kledingstuk op, elk hebbeding, sieraad en souvenir, bestudeerde alles aandachtig, schatte de waarde en zette het terug op de plaats waar het vandaan kwam. Was hij een dief op zoek naar buit? Zocht hij naar geheimen uit het verleden van die vrouw? Nee en nog eens nee. Dit was een nieuwe wereld en die wilde hij goed leren kennen. Dat alleen en anders niets.

Het was al over elven toen hij wegzonk in het diepe bed in de logeerkamer. Dit was een bed welks gelijke zijn gebeente nimmer had gekend. Alsof hij kilometers diep wegzakte voor hij in zoete rust verzonk. Rondom zijn oren drukte het zachte warme gewicht van de satijnen donsdekens. Hij zuchtte met iets dat een snik leek. Deze ene nacht tenminste zou er rust zijn. Hij lag zachtjes tegen zichzelf te praten in zijn moedertaal.

'Alles komt wel goed – nog een paar dagen en dan is alles vergeten. Ze heeft me nodig. Mijn kinderen hebben me nodig. Nog een paar dagen en dan is ze eroverheen.'

Van verre hoorde hij klokgelui, de oproep voor de nachtmis in de Heilig-Hartkerk. Hij ging op een elleboog liggen en luisterde. Kerstmorgen. Hij zag zijn vrouw knielen tijdens de mis, zijn drie zoons in vrome processie midden op het hoogaltaar terwijl het koor *Adeste Fideles* zong. Zijn vrouw, zijn arme Maria. Vanavond zou ze die oude aftandse hoed op hebben, zo oud als hun huwelijk, jaar in jaar uit opgeknapt om zo veel mogelijk de mode bij te houden. Vanavond – nee, op ditzelfde ogenblik – wist hij haar knielend op haar vermoeide knieën, haar bevende lippen prevelend in gebed voor hemzelf en zijn kinderen. O ster van Bethlehem! O geboorte van het kind Jezus!

Door het raam zag hij de sneeuwvlokken vallen, Svevo Bandini in het bed van een andere vrouw terwijl zijn eigen vrouw bad voor zijn onsterfelijke ziel. Hij ging op zijn rug liggen en likte de dikke tranen op die over zijn verbonden gezicht liepen. Morgen zou hij haar huis gaan. Het moest. Op zijn knieën zou hij om vrede en vergeving smeken. Op zijn knieën, als de kinderen weg waren en zijn vrouw alleen was. Hij zou het nooit kunnen doen waar ze bij waren. De kinderen zouden erom lachen en alles bederven.

Eén blik in de spiegel de volgende morgen maakte aan zijn vastberadenheid een eind. Daar was het gruwelbeeld van zijn verwoest gezicht, nu paars en opgezwollen, met zwarte wallen onder de ogen. Met die verraderlijke littekens kon hij zich aan niemand vertonen. Zijn eigen zoons zouden rillen van afschuw. Grommend en vloekend gooide hij zich in een stoel en rukte aan zijn haar. *Jesu Christi!* Hij durfde de straat niet eens op. Wie hem ook zag kon onmogelijk de taal van het geweld die op zijn aangezicht gekrast stond misverstaan. Hoeveel leugens hij ook vertellen mocht – dat hij op het ijs gevallen was, dat hij met iemand had gevochten over een spelletje kaart – het leed geen twijfel dat zijn wangen waren opengereten door de handen van een vrouw.

Hij kleedde zich aan, sloop langs de dichte deur van de weduwe naar de keuken, waar hij een ontbijt maakte van brood en boter en zwarte koffie. Hij waste af en ging terug naar zijn kamer. Uit een ooghoek ving hij een glimp van zichzelf in de spiegel op. Het maakte hem zo razend dat hij zijn vuisten balde en met moeite de aanvechting bedwong de spiegel aan scherven te slaan. Kreunend en vloekend wierp hij zich op het bed, rolde met zijn hoofd heen en weer toen hij besefte dat het wel een week kon duren eer de krabben zouden helen en de zwelling zou verminderen zodat zijn gezicht toonbaar genoeg was voor het oog van de samenleving.

Een zonloze kerstmorgen. Het sneeuwen was opgehouden. Hij lag naar het druppelen van de smeltende ijspegels te luisteren. Tegen de middag hoorde hij de weduwe voorzichtig op de deur kloppen. Hij wist dat zij het was, maar sprong uit bed als een misdadiger die door de politie op de hielen gezeten wordt.

'Ben je daar?' vroeg ze.

Hij durfde haar niet onder ogen te komen.

'Een moment,' zei hij.

Vlug trok hij de bovenste lade van de kast open, griste er een handdoek uit en bond die voor zijn gezicht, zodat alleen zijn ogen zichtbaar waren. Toen deed hij de deur open. Als ze al schrok van zijn verschijning liet ze het niet merken. Haar haar was opgenomen in een dun netje, om haar mollig figuur was een peignoir met roze ruches geslagen.

'Vrolijk Kerstmis,' glimlachte ze.

'Mijn gezicht,' zei hij met een verontschuldigend gebaar. 'De handdoek houdt het warm. Dan gaat het gauwer over.'

'Heb je goed geslapen?'

'Het beste bed waar ik ooit in gelegen heb. Een heerlijk bed, heel zacht.'

Ze ging op de rand van het bed zitten en wipte een paar maal op en neer om het te proberen. 'Hé,' zei ze. ''t Is nog zachter dan het mijne.'

'Een prima bed, hoor.'

Ze aarzelde, stond toen op. Haar ogen keken openhartig in de zijne.

'Je weet dat je welkom bent,' zei ze. 'Ik hoop dat je blijft.'

Wat moest hij zeggen? Hij zweeg, brak zich het hoofd tot hij een passend antwoord vond. 'Ik zal kost en inwoning betalen,' zei hij. 'Wat u vraagt zal ik betalen.'

'Het idee!' antwoordde ze. 'Dat mag je niet zeggen, hoor! Je bent mijn gast. Het is hier geen pension – dit is mijn huis!'

'U bent een goed mens, mevrouw Hildegarde. Een fantastische vrouw.'

'Onzin!'

Desondanks nam hij zich voor haar te betalen. Een dag of twee, drie, tot zijn gezicht weer beter was... Twee dollar per dag... En niet meer dat andere.

Er was nog iets: 'We moeten wel voorzichtig zijn,' zei ze. 'Je weet hoe gauw de mensen praten.'

'Ja, dat weet ik,' antwoordde hij.

Maar ze was nog niet klaar. Haar hand dook naar iets onder in de zak van haar peignoir. Een sleutel aan een kralenkettinkje.

'Van de zijdeur,' zei ze.

Ze legde hem in zijn open hand en hij bekeek hem, deed of het iets heel bijzonders was, maar het was gewoon een sleutel en na een ogenblik stopte hij hem in zijn zak.

Nog een laatste kwestie: ze hoopte dat hij het niet vervelend vond, maar het was Kerstmis en ze verwachtte vanmiddag gasten. Kerstcadeautjes en zo.

'Dus het is misschien beter...'

'Natuurlijk,' onderbrak hij. 'Ik begrijp het.'

'Er is geen haast bij. Over een uurtje of zo.'

Toen ging ze weg. Hij trok de handdoek van zijn gezicht, ging op het bed zitten en wreef verbijsterd over zijn nek. Opnieuw ving zijn blik het afzichtelijk spiegelbeeld. *Dio Christo!* Hij zag er nu zo mogelijk nog erger uit. Wat moest hij doen?

Plotseling zag hij zichzelf in een ander licht. De hele stompzinnige toestand stond hem tegen. Wat was hij voor een steenezel dat hij zich liet ringeloren omdat er hier in huis mensen werden verwacht? Hij was toch geen misdadiger, hij was een man, een fatsoenlijk man. Hij had een vak. Hij was lid van de bond. Hij was Amerikaans staatsburger. Hij was een vader, met zoons. Zijn huis was niet ver, het mocht dan niet van hem zijn maar het was zijn huis, een eigen dak boven zijn hoofd. Wat bezielde hem dat hij stiekem onderdook als een moordenaar? Hij had iets misdreven – *certamente* – maar voor wie ter wereld gold dat niet?

Zijn gezicht – ach ga weg.

Hij stond voor de spiegel en lachte spottend. Een voor een trok hij de pleisters eraf. Andere dingen waren belangrijker dan zijn gezicht. Bovendien zou het met een dag of wat weer zo goed als nieuw zijn. Hij was geen lafaard. Als een man zou hij voor Maria gaan staan en haar om vergeving vragen. Niet om te smeken. Niet om te pleiten. Vergeef me, zou hij zeggen. Vergeef. Ik heb verkeerd gedaan. Het zal niet meer gebeuren.

Dit besluit gaf hem een rilling van genoegen. Hij greep zijn jas, trok zijn hoed over zijn ogen en liep stilletjes het huis uit zonder een woord tegen de weduwe.

Kerstmis! Hij stortte zich erin met zijn borst vooruit, haalde adem met diepe teugen. Wat een Kerstmis zou dit worden! Hoe prachtig om de kracht van zijn overtuigingen te bewijzen! De glorie je een dapper man, een man van eer te tonen! Toen hij de eerste straat binnen de stadsgrenzen bereikte, zag hij een vrouw met een rode hoed naderen. Dit was de test voor zijn gezicht. Hij rechtte zijn schouders, hief zijn kin omhoog. Tot zijn vreugde keek de vrouw niet eens naar hem, na haar eerste vluchtige blik. De rest van de weg naar huis floot hij het *Adeste Fideles*.

Maria, ik kom eraan!

De sneeuw op het tuinpad was niet weggeschept. Zo, de kinderen lieten het er dus bij zitten als hij er niet was. Nou, daar zou hij stante pede een stokje voor steken. Van nu af aan werden de zaken anders aangepakt. Niet alleen hijzelf maar ook zijn gezin zou een nieuwe bladzij opslaan, te beginnen bij vandaag.

Vreemd, de voordeur was op slot, de gordijnen neergelaten. Ook weer niet zó vreemd: hij herinnerde zich dat er op eerste kerstdag vijf missen in de kerk waren, de laatste om twaalf uur. De jongens zouden daar nu zijn. Maar Maria ging altijd naar de nachtmis op kerstavond. Dan was ze nu thuis. Hij bonsde op het vensterhor, maar vergeefs. Toen liep hij om naar de achterdeur, maar ook die was op slot. Hij tuurde door het keukenraam. Een wolk stoom uit de ketel op het fornuis zei hem dat er in elk geval iemand thuis was. Hij bonsde nog eens, ditmaal met beide vuisten. Geen antwoord.

'Wat duivel,' gromde hij, en liep verder om het huis naar zijn eigen slaapkamerraam. Hier waren de rolgordijnen neer, maar het raam stond open. Hij krabde met zijn nagels, riep haar naam.

'Maria. O Maria.'

'Wie is daar?' De stem klonk slaperig, moe.

'Ik ben het, Maria. Doe open.'

'Wat moet je?'

Hij hoorde haar opstaan en het schuiven van een stoel alsof er iemand in het donker tegenaan gelopen was. Het gordijn ging opzij en hij zag haar gezicht, opgezet van de slaap, haar blik onzeker en wijkend voor de verblindend witte sneeuw. Hij slikte, lachte van vreugde en angst.

'Maria.'

'Ga weg,' zei ze. 'Ik heb je niet nodig.'

Het gordijn ging weer dicht.

'Maar Maria, luister nu!'

Haar stem klonk gespannen, opgewonden.

'Ik wil je niet in mijn buurt. Ga weg. Ik kan je niet zíen!'

Hij drukte zijn handen tegen het hor, en legde zijn hoofd ertegen, smekend: 'Maria, alsjeblieft. Ik moet je iets zeggen. Doe de deur open, Maria, laat me praten.'

'O God,' gilde ze. 'Ga weg, ga weg! Ik haat je, ik haat je!' Toen smakte er iets door het groene rolgordijn, er was een flits toen hij zijn hoofd opzij trok, en het schorre scheuren van het horregaas, zo dicht bij zijn oor dat hij zich geraakt waande. Binnen hoorde hij haar hortend snikken. Hij deed een stap achteruit en bekeek het gescheurde rolgordijn en het horregaas. Diep in het hor gedrongen, dwars erdoorheen tot aan het handvat, stak een lange naai-schaar. Hij zweette uit al zijn poriën toen hij terugliep naar de straat, en zijn hart bonkte als een moker. Hij haalde zijn zakdoek te voorschijn en zijn vingers raakten iets kouds en metaligs aan. Het was de sleutel die de weduwe hem gegeven had.

Goed dan. Zo zij het.

9

De kerstvakantie was voorbij, en op 6 januari begon de school weer. Het was een rampzalige vakantie geweest, geplaagd door ruzie en verdriet. Twee uur voor de eerste bel zaten August en Federico al op de stoep voor de Catharina-school te wachten tot de conciërge de deur kwam opendoen. Het was niet zo'n goed idee om het hardop te zeggen, maar op school was het een stuk beter dan thuis.

Niet echter voor Arturo.

Alles was beter dan Rosa weer onder ogen komen. Hij ging een paar minuten voor de les begon van huis, langzaam lopend, want hij kwam liever te laat om de kans op een ontmoeting met haar in de hal te vermijden. Een kwartier na de eerste bel kwam hij binnen en sleepte zich de trappen op alsof hij zijn benen gebroken had. Zijn houding veranderde zodra hij zijn hand op de deurkruk van het klaslokaal legde. Kwiek en kordaat, hijgend of hij hard gelopen had, draaide hij de kruk om, wipte naar binnen en sloop haastig naar zijn plaats.

Zuster Maria Celia stond voor het bord, aan de andere kant van het lokaal van Rosa's plaats gezien. Hij was blij, want het bespaarde hem toevallige blikwisselingen met Rosa's zachte ogen. Zuster Celia stond de stelling van Pythagoras uit te leggen, met enige heftigheid, want er sprongen brokjes krijt in het rond terwijl ze het bord te lijf ging met grote uitdagende gebaren, haar glazen oog feller dan ooit toen het zijn kant uit flitste en weer terug naar het bord. Er schoot hem een verhaal te binnen dat onder de kinderen de ronde deed, dat dat oog, 's avonds als ze sliep, op haar toilettafel gloeide met een strakke blik, en dat het oplichtte als er insluipers in de buurt waren. Ze voltooide haar uitleg op het bord en sloeg het krijtstof van haar handen.

'Bandini,' zei ze. 'Je bent het nieuwe jaar weer geheel in stijl begonnen. Verklaar je nader, alsjeblieft.'

Hij stond op.

'Dit wordt een mooie,' fluisterde iemand.

'Ik ben naar de kerk geweest om de rozenkrans te bidden,' zei Arturo. 'Ik wou het nieuwe jaar aan de Heilige Maagd wijden.'

Daar viel nooit iets tegen in te brengen.

'Klets,' fluisterde iemand.

'Ik wil je graag geloven,' zei zuster Celia, 'ook al kan ik het niet. Ga zitten.'

Hij zakte op zijn plaats, zijn hand voor zijn linkerwang om zijn gezicht af te schermen. Hij pakte zijn boek en sloeg het open, verborg zijn gezicht in beide handen. Maar één keer moest hij toch naar haar kijken. Toen ging hij rechtop zitten.

Rosa's bank was leeg. Hij keek de klas rond. Ze was er niet. Rosa was niet op school. Tien minuten lang probeerde hij blij en opgelucht te zijn. Toen zag hij de blonde Gertie Williams aan de andere kant van het middenpad. Gertie en Rosa waren vriendinnetjes.

'Psssst, Gertie.'

Ze keek om.

'Hé Gertie, waar is Rosa?'

'Ze is er niet.'

'Ja, dat zie ik ook, uil. Waar is ze?'

'Weet ik niet. Thuis, denk ik.'

Hij haatte Gertie. Hij had haar altijd gehaat, met haar puntige, eeuwig kauwgum malende kaak. Gertie kreeg altijd voldoendes, dank zij Rosa die haar hielp. Maar Gertie was doorzichtig, je kon bijna door haar witte ogen tot in haar achterhoofd kijken, waar niets was, helemaal niets behalve haar honger naar jongens, maar niet naar een jongen zoals hijzelf, omdat hij het soort met de vuile nagels was, omdat Gertie zo'n kil maniertje had om hem haar afkeer te laten voelen.

'Heb je haar de laatste tijd gezien?'

'Niet de laatste tijd.'

'Wanneer dan?'

'Een paar dagen geleden.'

'Wanneer, slome?'

'Met nieuwjaar,' glimlachte Gertie hautain.

'Gaat ze hier weg? Gaat ze naar een andere school?'

'Dat denk ik niet.'

'Waarom doe je zo stom?'

'Vind je dat niet leuk?'

'Wat dacht je?'

'Praat dan alsjeblieft niet tegen me, Arturo Bandini, want ik heb zeker geen zin om met jou te praten.'

Bah. Zijn dag was verpest. Al die jaren hadden hij en Rosa in dezelfde klas gezeten. Twee van die jaren was hij verliefd op haar geweest; dag in dag uit, zeven en een half jaar met Rosa in hetzelfde lokaal, en nu was haar bank leeg. Het enige ter wereld dat hem echt kon schelen, op honkbal na, en nu was ze weg, was er niets dan ijle lucht op de plek waar eens haar zwarte haar gebloeid had. Dat en een rood schoolbankje met een dun laagje stof erop.

De stem van zuster Maria Celia begon onmogelijk te krassen. De meetkundeles ging over in Engelse literatuur. Hij haalde zijn Spalding-jaarboek voor het georganiseerde honkbal te voorschijn en verdiepte zich in het slag- en veldgemiddelde van Wally Ames, derde honkman voor de Toledo Mudhens, hoog in de Amerikaanse honkbalbond.

Agnes Hobson, die valse halve gare fleemkous, met d'r scheve voortanden in een beugel van koperdraad, las voor uit Sir Walter Scotts *Lady of the Lake*.

Bah, wat een troep. Om de verveling te verdrijven berekende hij Wally Ames' gemiddelde over zijn hele honkbalcarrière, en vergeleek het met dat van Nick Cullop, de machtige topscorer voor de Atlanta Crackers in de zuidelijke honkbalbond. Het gemiddelde van Cullop bleek, na een uur van ingewikkeld rekenwerk dat vijf vellen papier besloeg, tien punten hoger dan dat van Wally Ames.

Hij zuchtte van tevredenheid. Er klonk iets in die naam – Nick Cullop – iets als een klap en een oplawaai, dat hem meer deed dan het prozaïsche Wally Ames. Het eindigde ermee dat hij een hekel aan Ames kreeg en begon te mijmeren over Cullop, hoe hij eruit zou zien, waarover hij zou praten, wat hij zou doen als Arturo hem om zijn handtekening schreef. De dag was dodelijk vermoeiend. Zijn dijen deden pijn en zijn ogen traanden van de slaap. Hij gaapte en lachte zonder onderscheid om alles waarover zuster Celia sprak. De hele middag zat hij bitter spijt te hebben van alles wat hij nagelaten had, de verleidingen die hij had weerstaan in de vakantieperiode die nu onherroepelijk achter hem lag.

De peilloze dagen, de droeve dagen.

De volgende morgen was hij op tijd, door de wandeling naar school zo in te delen dat zijn voeten precies tegelijk met de bel de drempel overschreden. Hij haastte zich de trappen op en keek al naar Rosa's bank nog voor hij die kon zien door de muur van de garderobe. De bank was leeg. Zuster Celia riep de namen af.

Payne. Present.

Penigle. Present.

Pinelli.

Stilte.

Hij zag de non een kruisje zetten op de presentielijst. Ze schoof het boek in de la en riep de klas tot de orde voor het morgengebed. De beproeving was weer begonnen.

'Pak je meetkundeboek.'

Ga op het dak zitten, dacht hij.

Psssst, Gertie.

'Rosa gezien?'

'Nee.'

'Is ze in de stad?'

'Weet ik niet.'

'Ze is jouw vriendin. Waarom vraag je het niet?'

'Misschien doe ik dat nog. Misschien niet.'

'Leuk hoor.'

'Niet leuk dan?'

'Ik kan je die kauwgum wel door je strot stompen.'

'Je meent het.'

Om twaalf uur slenterde hij naar het honkbalveld. Sinds Kerstmis had het niet meer gesneeuwd. De zon was furieus, geel van woede in de lucht, wreekte zich op het bergland dat, bevroren, had geslapen tijdens zijn afwezigheid. Plakken sneeuw tuimelden van de kale populieren rondom het speelveld, vielen op de grond en bleven nog even liggen tot die gele tong aan de hemel ze uit het geheugen likte. Damp kroop uit de aarde, mistige materie kwam uit de aarde gekropen en sloop weg. In het westen galoppeerden de stormwolken ervandoor in breidelloze aftocht, staakten hun aanval op de bergen, schuldeloze reuzenpieken die hun getuite lippen dankbaar naar de hemel hieven.

Een warme dag, maar te nat voor honkbal. Zijn voeten zakten in de zuchtende zwarte modder rondom de werpersplaat. Morgen misschien. Of overmorgen. Maar waar was Rosa? Hij leunde tegen een van de populieren. Dit was Rosa's land. Dit was Rosa's boom. Omdat jij ernaar gekeken hebt, omdat jij hem misschien hebt aangeraakt. En dat zijn Rosa's bergen en misschien kijkt zij er nu naar. Waar ze haar oog op liet vallen was van haar, en wat hij zag was ook van haar.

Hij liep na school langs haar huis aan de overkant van de straat. Pruimkees Wiggins, die de *Denver Post* rondbracht, passeerde op zijn fiets, flipte achteloos de kranten op elke veranda. Arturo floot en haalde hem in.

'Ken jij Rosa Pinelli?'

Keesje spuwde een klodder tabakssap in de sneeuw. 'Bedoel je dat Italiaanse juffertje drie huizen terug in de straat? Tuurlijk ken ik die, hoezo?'

'De laatste tijd nog gezien?'

'Nee-nee.'

'Wanneer heb je haar voor het laatst gezien, Keesje?'

Keesje hing over het fietsstuur, wiste het zweet van zijn gezicht, spuwde weer tabakssap en verzonk in een diep vorsen. Arturo stond geduldig te wachten, hopend op goed nieuws.

'De laatste keer was drie jaar geleden,' zei Keesje eindelijk. 'Hoezo?'

'O niks,' zei hij. 'Laat maar.'

Drie jaar geleden! En die idioot had het gezegd of het niet belangrijk was.

De peilloze dagen, de droeve dagen.

Thuis was het een chaos. Als ze uit school kwamen vonden ze de deur open, en heerste de koude avondlucht alom. De kachels waren uit, de asladen overvol. Waar is ze? En ze zochten. Ze was nooit ver weg, soms in de oude stenen schuur verderop in het weiland, op een krat gezeten of tegen de muur geleund, haar lippen in beweging. Eenmaal zochten ze tot lang na donker systematisch de hele buurt af, keken in schuren en berghokken, speurden naar haar voetstappen langs de oevers van het kreekje dat in één nacht was gezwollen tot een bruinige, vloekende beul, die zich tartend en tierend door aarde en bomen vrat. Ze stonden op de kant en keken naar de grauwende stroom. Ze spraken niet. Ze verspreidden zich en zochten stroomopwaarts en stroomafwaarts. Een uur later keerden ze terug naar het huis. Arturo legde het vuur aan. August en Federico kropen dicht tegen de kachel.

'Ze komt zo wel weer thuis.'

'Ja hoor.'

'Misschien is ze naar de kerk.'

'Misschien.'

Ze hoorden haar onder hun voeten. Daar vonden ze haar, in de kelder, op haar knieën voor een vat wijn dat papa had gezworen pas te openen als het tien jaar oud was. Ze sloeg geen acht op hun smeekbeden. Ze keek koeltjes naar Augusts behuilde ogen. Ze wisten dat ze onbelangrijk waren. Arturo nam haar zachtjes bij de arm, om haar op te helpen. Bliksemsnel sloeg de rug van haar hand hem vlak in zijn gezicht. Sufferd. Hij lachte, ietwat verlegen, stond met een hand tegen zijn rode wang gedrukt.

'Laat haar met rust,' zei hij tegen hen. 'Ze wil alleen zijn.'

Hij liet Federico een deken voor haar halen. Hij trok er een van het bed en kwam ermee beneden, liep naar haar toe en legde hem over haar schouders. Ze verhief zich, de deken gleed af en bedekte haar benen en voeten. Meer viel er niet te doen. Ze gingen naar boven en wachtten.

Na een hele tijd verscheen ze. Ze zaten om de keukentafel, bladerden in hun boeken, probeerden ijverig te zijn, zich brave jongens te tonen. Ze zagen haar paarse lippen. Ze hoorden haar grijze stem.

'Hebben jullie gegeten?'

Ja hoor, ze hadden gegeten. En lekker ook. Zelf klaargemaakt.

'Wat hebben jullie gegeten?'

Ze durfden niet te antwoorden.

Tot Arturo zei: 'Brood met boter.'

'Er is helemaal geen boter,' zei ze. 'Er is al drie weken geen boter in huis.'

Dat maakte Federico aan het huilen.

's Morgens toen ze naar school gingen sliep ze. August wilde naar binnen gaan om haar een zoen te geven. Federico ook. Ze wilden iets zeggen over hun twaalfuurtje, maar ze sliep, die vreemde vrouw in het bed, die niet van ze hield.

'Laat haar maar met rust.'

Ze zuchtten en liepen het huis uit. Naar school. August en Federico samen en na een tijdje ook Arturo, na het vuur te hebben getemperd en nog een laatste keer te hebben rondgekeken. Moest hij haar wakker maken? Nee, laat haar maar slapen. Hij vulde een glas met water en zette het naast haar bed. Toen naar school, op zijn tenen het huis uit.

Pssst. Gertie.

'Wat moet je?'

'Rosa gezien?'

'Nee.'

'Wat is er eigenlijk met haar?'

'Weet ik niet.'

'Is ze ziek?'

'Ik denk het niet.'

'Je kán helemaal niet denken. Ben je te stom voor.'

'Nou, zeg dan niets.'

Om twaalf uur liep hij weer naar het speelterrein. De zon was nog steeds boos. De ophoging om het binnenveld was opgedroogd, en de meeste sneeuw was weg. Er was nog één plek rechts tegen de omheining in de schaduw waar de wind de sneeuw had opgeworpen en er een randje vuile kant over had gespreid. Maar verder was het droog genoeg, perfect weer om te trainen. De rest van de middagpauze probeerde hij de leden van de ploeg te polsen. Als we vanavond eens een oefenpartijtje? – het veld is prima in orde. Ze luisterden naar hem met een vreemde uitdrukking, zelfs Rodriguez, de vanger, het enige joch op de hele school dat net zo bezeten was van honkbal als hijzelf. Wacht, zeiden ze. Wacht tot het voorjaar, Bandini. Hij probeerde ze over te halen. Hij won het pleit. Maar na school, toen hij een uur lang alleen had zitten wachten onder de populieren die het veld omzoomden, wist hij dat ze niet zouden komen, en liep langzaam naar huis, langs het huis van Rosa, aan dezelfde kant van de straat, helemaal tot het grasveld voor haar deur. Het gras was zo groen en fris dat hij het bijna kon proeven. Een vrouw kwam uit het huis ernaast, pakte haar krant, keek de koppen door, en staarde hem wantrouwig aan. Ik doe niks, ik kom alleen maar langs. Een psalm fluitend liep hij verder de straat uit.

De peilloze dagen, de droeve dagen.

Zijn moeder had die dag de was gedaan. Hij kwam door het steegje thuis en zag het wasgoed aan de lijn hangen. Het was donker geworden en opeens koud. De was hing stijf bevroren. In het langslopen raakte hij elk verstijfd kledingstuk aan, streek erover met zijn hand tot het eind van de waslijn. Een rare dag om kleren te wassen, anders was het altijd maandag wasdag. Vandaag was het woensdag of donderdag, in elk geval niet maandag. Raar wasgoed trouwens; hij stond stil op de achterveranda om het vreemde ervan te ontrafelen. Toen zag hij wat het was: alles wat daar hing, schoon en stijf, was van zijn vader. Niets van hemzelf of zijn broers, nog geen paar sokken.

Kip voor het eten. Hij stond in de deur en ging haast van zijn stokje toen de geur van gebraden kip in zijn neusgaten drong. Kip, maar hoe kon dat? Het enige beest dat nog in de kippenren liep was Tony, de grote haan. Zijn moeder zou Tony nooit slachten. Zijn moeder was veel te gek op Tony met zijn zwierige dikke kam en zijn mooie pronkende pluimen. Ze had rode kipperingen om zijn gespoorde poten gedaan en lachte om zijn opgeblazen vertoon. Maar het was Tony wél: op het aanrecht zag hij de gebroken kipperingen als twee rode nagels liggen.

Na een poosje scheurden ze hem aan stukken, zo taai als hij was. Maar Maria raakte hem niet aan. Ze zat brood te dopen in een geel vliesje olijfolie op haar bord. Ze haalden herinneringen op aan Tony: wat een haan was dat geweest! Ze mijmerden over zijn lange heerschappij in de kippenren, ze waren niet vergeten hoe hij tóen. Maria doopte haar brood in olijfolie en staarde voor zich uit.

'Er gebeurt iets maar je weet niet wat,' zei ze. 'Want als je op God vertrouwt moet je bidden, maar dat zul je mij niet horen zeggen.'

Hun kiezen stonden stil en ze keken haar aan.

Stilte.

'Wat zei je, mam?'

'Ik zei niets.'

Federico en August wisselden een blik en probeerden te glimlachen. Toen werd August wit en hij stond op en liep van tafel. Federico greep nog een stukje wit vlees en volgde. Arturo balde onder de tafel zijn vuisten en kneep tot de pijn in zijn handen het verlangen om te huilen verdrong.

'Zalige kip!' zei hij. 'Moet je ook proberen, mamma. Alleen om te proeven.'

'Wat er ook gebeurt, je moet geloof hebben,' zei ze. 'Ik heb geen mooie jurken en ik kan niet met hem gaan dansen, maar ik heb geloof, en dat weten zij niet. Maar God weet het wel, en de Maagd Maria, en wat er ook gebeurt, die weten het. Soms zit ik hier de hele dag, en wat er ook gebeurt, zij weten het, omdat God aan het kruis gestorven is.'

'Tuurlijk weten ze het,' zei hij.

Hij stond op, sloeg zijn armen om haar heen en zoende haar. Hij keek in haar boezem, zag de witte hangende borsten en dacht aan kleine kinderen, aan Federico als zuigeling.

'Tuurlijk weten ze het,' zei hij nog eens. Maar hij voelde dat het uit zijn tenen kwam, en hield het niet langer uit. 'Tuurlijk weten ze het, mamma.'

Hij rechtte zijn schouders en slenterde de keuken uit naar de kleerkast in zijn eigen kamer. Hij nam de halfgevulde waszak van de haak achter de deur en perste hem hard tegen zijn mond en gezicht. Toen liet hij zich gaan en huilde en schreeuwde tot zijn zijden er pijn van deden. Toen hij klaar was, droog en schoon vanbinnen, de pijn weg op het prikken van zijn ogen na toen hij in het licht van de huiskamer stapte, wist hij dat hij zijn vader moest gaan zoeken.

'Pas op haar,' zei hij tegen zijn broers. Ze was weer naar bed gegaan en ze zagen haar door de open deur, haar gezicht afgewend.

'Wat doen we als ze iets doet?' zei August.

'Ze doet niets. Wees stil, en aardig voor haar.'

Maanlicht. Helder genoeg om bij te honkballen. Hij nam de afsteek over de schraagbrug. Onder hem, onder de brug, zaten trekarbeiders over een rood en geel vuurtje gebogen. Om middernacht zouden ze op de goederensneltrein naar Denver springen, vijftig kilometer verder. Hij speurde tussen de gezichten, merkte hij, keek of hij dat van zijn vader zag. Maar daar beneden zou Bandini niet zitten; de plek waar hij zijn vader moest zoeken was de Imperial Poolhall of de kamer van Rocco Saccone. Zijn vader was lid van de vakbond. Hij zou daar beneden niet zitten.

Maar hij zat ook niet te kaarten in de Imperial.

Jim, de barkeeper.

'Is zowat twee uur geleden weggegaan met die spaghetticollega.'

'Bedoelt u Rocco Saccone?'

'Ja die – zo'n mooie Italiaanse jongen.'

Hij trof Rocco op zijn kamer, in een stoel bij een radiotoestel voor het raam, waar hij walnoten zat te kraken en naar jazz luisterde. Een krant lag uitgespreid voor zijn voeten om de noteschillen op te vangen. Hij stond bij de deur, de omfloerste donkerte van Rocco's ogen zei hem dat hij niet welkom was. Maar zijn vader was niet in de kamer, geen spoor van hem.

'Waar is mijn vader, Rocco?'

'Hoe kan ik dat weten? Hij 's jouw vadder. 's Niet mijn vadder.'

Maar hij had een jongensinstinct voor de waarheid.

'Ik dacht dat hij bij jou woonde.'

'Hij woont op ze eige.'

Arturo kon dit nagaan: een leugen.

'Waar woont hij dan, Rocco?'

Rocco hief zijn handen op.

'Weet ik nie. Zie 'm niet meer.'

Ook een leugen.

'Jim de barkeeper zegt dat jullie daar vanavond nog waren.'

Rocco sprong overeind en schudde zijn vuist.

'Die Jim, da's een schoft en een leugenaar! Die steekt z'n neus in zaken die 'm niet aangaan. Je vadder is een man. Die weet wattie doet.'

Nu wist hij het.

'Rocco,' zei hij. 'Ken jij een dame die Effie Hildegarde heet?'

Rocco keek beduusd. 'Affie Hildegarde?' Hij speurde het plafond af. 'Wie is dat mens? Waarvoor wil je dat weten?'

'Nee niks.'

Hij wist het zeker. Rocco rende hem na tot in de gang en schreeuwde van boven aan de trap. 'Hé joh! Waar ga je heen?'

'Naar huis.'

'Mooi zo,' zei Rocco. 'Thuis, da's goeie plek voor kinderen.'

Hij hoorde daar niet. Halverwege Hildegarde Road wist hij dat hij niet de moed had het tegen zijn vader op te nemen. Hij had hier geen recht. Zijn aanwezigheid was een overtreding, een vrijpostigheid. Hoe kon hij tegen zijn vader zeggen dat hij moest thuiskomen? En als zijn vader dan antwoordde: Sodemieter op jij? En dat, wist hij, was precies wat zijn vader zeggen zou. Het beste was rechtsomkeert te maken en naar huis te gaan, want hij bewoog zich nu op een terrein dat zijn ervaring te buiten ging. Daarboven bij zijn vader was een vrouw. Dat maakte verschil. Nu herinnerde hij zich iets: op een keer toen hij jonger was had hij zijn vader uit de Poolhall willen halen. Zijn vader was opgestaan van de tafel en hem nagelopen naar buiten. Daar legde hij zijn vingers om zijn hals, niet hard maar wel menens, en zei: Doe dat niet nog eens.

Hij was bang voor zijn vader, doodsbang voor zijn vader. In zijn hele leven had hij maar drie keer een pak slaag gehad. Drie keer, maar die waren hardhandig, vreesaanjagend en onvergetelijk geweest.

Nee, dankjewel, dat nooit meer.

Hij stond in de schaduwen van de hoge dennebomen die langs de rondlopende oprit groeiden, waar een grasgazon zich uitstrekte tot aan het stenen huis. Er scheen licht achter de jaloezieën voor de beide ramen aan de voorkant, maar die jaloezieën beantwoordden aan hun doel. Het zien van het huis, zo helder in de maneschijn en de glans van de hemelhoge bergen in het westen, zulk een prachtige plek, maakte hem heel trots op zijn vader. Je kon zeggen wat je wou: dit was toch behoorlijk chic. Zijn vader was dan een min mannetje en zo, maar hij was nu in dat huis daar, en dat zei toch wel iets. Zo min kon je niet wezen als je daar wist binnen te komen. Papa, je bent me d'r een. Je maakt mamma kapot, maar je bent geweldig. Jij en ik alle twee, want op een goeie dag doe ik het ook, en ze heet Rosa Pinelli.

Hij sloop over het grind van de oprit naar een strookje drassig grasveld in de richting van de garage en de tuin achter het huis. Een rommeltje van gehouwen steen, planken, dozen cement en een zandzeef in de tuin zeiden hem dat zijn vader hier aan het werk was. Op zijn tenen kwam hij naderbij. Het ding dat hij bouwde, wat het ook was, tekende zich af als een zwarte heuvel, met stro en canvas afgedekt om te voorkomen dat de mortel bevroor.

Plotseling was hij bitter teleurgesteld. Misschien woonde zijn vader hier helemaal niet. Misschien was hij maar een doodgewone metselaar die 's morgens kwam en 's avonds wegging. Hij lichtte het canvas op. Het was een stenen bank of iets dergelijks, het deed er ook niet toe. De hele zaak was nep. Zijn vader woonde niet bij de rijkste vrouw van de stad. Ach stik, hij werkte alleen maar voor haar. Kwaad liep hij terug naar de weg, midden over het grindpad, te ontgoocheld om zich te bekommeren over het knarsen en piepen van het grind onder zijn voeten.

Toen hij bij de dennebomen was hoorde hij een slot klikken.

Ogenblikkelijk lag hij plat op zijn buik in een bed van natte dennenaalden, en een lichtstreep uit de deur van het huis priemde door de heldere nacht. Een man kwam naar buiten en stond op de rand van de korte veranda, de rode punt van een brandende sigaar als een rode knikker bij zijn mond. Het was Bandini. Hij keek naar de hemel en ademde diep de koude lucht in. Arturo sidderde van vreugde. Allemachtig, wat zag hij er jofel uit! Hij droeg helderrode pantoffels, een blauwe pyjama en een rode kamerjas met witte kwasten aan het koord. Godallejezus, hij leek Helmer de bankier en president Roosevelt wel. Hij leek wel de koning van Engeland. Man, wat een kerel! Toen zijn vader naar binnen ging en de deur achter zich sloot, drukte hij zich tegen de aarde van genot, groef zijn tenen in de harsige dennenaalden. Dat hij hier naar toe gekomen was om zijn vader naar huis te halen! Hij leek wel gek. Voor geen prijs verstoorde hij het beeld van zijn vader in de luister van die nieuwe wereld. Zijn moeder zou ervoor moeten lijden, hij en zijn broers zouden niet te eten hebben, maar het was het waard. O, wat had hij er fantastisch uitgezien! Toen hij huppelend de heuvel afholde en nu en dan een steen in het ravijn gooide, deden zijn gedachten zich gulzig te goed aan het tafereel dat hij zojuist achter zich gelaten had.

Maar één blik op het uitgemergelde, ingevallen gezicht van zijn moeder in de slaap die geen rust bracht, en hij haatte zijn vader weer.

Hij schudde haar wakker.

'Ik heb 'm gezien,' zei hij.

Ze sloeg haar ogen op en bevochtigde haar lippen.

'Waar is hij?'

'Hij woont in het Rocky Mountain Hotel. Hij zit met Rocco op een kamer, enkel hij en Rocco met z'n tweeën.'

Ze sloot haar ogen en wendde zich af, trok haar schouder weg onder de lichte druk van zijn hand. Hij kleedde zich uit, doofde de lichten en kroop in bed, drukte zich tegen Augusts warme rug aan tot de kilte van de lakens verdwenen was.

Ergens in de nacht ontwaakte hij, en hij opende zijn plakkerige ogen en zag haar naast zich zitten, hem wakker schuddend. Hij kon haar gezicht nauwelijks onderscheiden want ze had het licht niet aangedraaid.

'Wat zei hij?' vroeg ze fluisterend.

'Wie?' Maar hij wist het meteen weer en ging overeind zitten, 'Hij zei dat hij naar huis wou. Hij zei dat jij het niet wilt. Hij zei dat jij hem eruit zou gooien. Hij durfde niet terug te komen.'

Ze ging trots rechtop zitten.

'Hij verdient het,' zei ze. 'Hij kan me dat niet aandoen.'

'Hij zag er ontzettend slecht en somber uit. Hij leek me ziek.'

'Huh!' zei ze.

'Hij wil naar huis. Hij voelt zich rot.'

'Net goed voor hem,' zei ze en strekte haar rug. 'Misschien leert hij dan wat een thuis betekent. Laat hem nog maar een paar dagen wegblijven. Hij komt hier op zijn knieën naar toe. Ik ken die man.'

Hij was zo moe, hij sliep alweer terwijl ze sprak.

De peilloze dagen, de droeve dagen.

Toen hij de volgende morgen ontwaakte zag hij dat August ook al klaarwakker was, en ze luisterden naar het geluid dat hen had gewekt. Het was mamma die in de voorkamer de rolveger heen en weer duwde, de rolveger die piepediboem deed. Ontbijt was brood met koffie. Terwijl ze aten maakte ze hun twaalfuurtjes klaar van wat er over was van de kip van gisteren. Ze waren heel blij: ze droeg haar mooie blauwe mouwschort en haar haar was strak gekamd, strakker dan ze ooit gezien hadden, en in een wrong boven op haar hoofd gedraaid. Nog nooit hadden ze haar oren zo goed gezien. Meestal zat haar haar losser en viel het over ze heen. Mooie oortjes, klein en roze.

August zei: 'Vandaag is het vrijdag. We moeten vis eten.'

'Hou je vrome kop,' zei Arturo.

'Ik wist niet dat het vrijdag was,' zei Federico. 'Hè August, waarom zeg je dat nou.'

'Omdat hij zo'n vrome idioot is,' zei Arturo.

'Het is geen zonde om op vrijdag kip te eten als je geen vis betalen kan,' zei Maria.

Goed zo. Hoera voor mamma. Ze jouwden August uit, die

verachtelijk snoof. 'En ik eet toch geen kip vandaag.'

'Dan niet, sukkel.'

Hij liet zich niet ompraten. Voor hem maakte Maria brood met olijfolie, bestrooid met zout. Zijn deel van de kip ging naar zijn broers.

Vrijdag. Schriftelijk overhoren. Geen Rosa.

Psssst, Gertie. Ze liet haar kauwgum klappen en keek zijn kant op.

Nee, ze had Rosa niet gezien.

Nee, ze wist niet of Rosa in de stad was.

Nee, ze had niets gehoord. En als het wel zo was zou ze het toch niet zeggen. Omdat ze heel eerlijk gezegd liever niet met hem sprak.

'Koe,' zei hij. 'Stomme koe, met je eeuwige gekauw.'

'Spaghettivreter!'

Hij liep paars aan, rees half uit zijn bank.

'Smerige blonde trut!'

Ze schrok, sloeg haar handen voor haar gezicht van afschuw.

Proefwerkdag. Om half elf wist hij dat hij zijn meetkunde had verpest. Bij de bel van twaalf uur worstelde hij nog steeds met de opgaven Engelse literatuur. Hij was de laatste in de klas, op Gertie Williams na. Alles liever dan eindigen achter Gertie. Hij liet de laatste drie vragen voor wat ze waren, raapte zijn werk bij elkaar en leverde het in. Bij de deur van de garderobe keek hij over zijn schouder met een triomferende grijns naar Gertie die, haar blonde haar in de war, met haar kleine tandjes koortsachtig op haar potlood zat te bijten. Ze beantwoordde dit met een blik van onbeschrijflijke haat, met ogen die zeiden: Dit zal ik je betaald zetten, Arturo Bandini, ik krijg je nog wel.

Om twee uur die middag nam ze wraak.

Het briefje dat ze had geschreven viel op zijn geschiedenisboek. De schitterende glimlach op Gerties gezicht, de wilde blik in haar ogen, de kaken die het malen gestaakt hadden, waarschuwde hem dat briefje niet te lezen. Maar hij was te nieuwsgierig.

Beste Arturo Bandini,

Sommige mensen zijn slimmer dan goed voor ze is, en sommige mensen zijn gewoon buitenlanders en daar kunnen ze niks
aan doen. Jij denkt misschien dat je o zo slim bent, maar een
heleboel mensen hier op school hebben de pest aan je, Arturo
Bandini. Maar degene die jou het meest haat is Rosa Pinelli.
Ze haat jou nog meer dan ik, omdat ik weet dat je maar een
arme Italiaanse jongen bent en het mij een zorg is hoe vies je
er altijd uitziet. Toevallig weet ik dat sommige mensen die
niks hebben uit stelen gaan, dus ik was niet verbaasd toen
iemand (je mag raden wie) me vertelde dat je een sieraad
had gestolen en het aan haar dochter had gegeven. Maar die
was te eerlijk om het te houden en ik vind dat ze karakter
toonde door het terug te geven. Doe me een plezier en vraag
me niet meer naar Rosa Pinelli, Arturo Bandini, want ze kan
je niet uitstaan. Gisteravond heeft Rosa nog gezegd dat ze
kippevel van je kreeg, zo eng vond ze je. Je bent een buitenlander dus zal het daar wel aan liggen.

RAAD EENS VAN WIE???

Hij voelde hoe zijn maag van hem wegdreef en een bleek glimlachje
speelde om zijn bevende lippen. Hij draaide zich langzaam om en
keek Gertie aan, met een dom bleek lachje. In haar fletse ogen lag
een uitdrukking van vreugde en spijt en afschuw. Hij verfrommel-
de het briefje, zakte zo ver onderuit als zijn benen reikten en
verborg zijn gezicht. Op het razen van zijn hart na was hij dood,
hoorde, zag noch voelde.

Na een poosje werd hij zich bewust van een gedempt geroeze-
ꞓes om zich heen, een onrust en agitatie zinderden in het lokaal.
ꞏwas iets gebeurd, de atmosfeer trilde ervan. De moeder-overste
ꞏide zich om en zuster Celia liep naar de tafel op het podium.
ꞏemaal opstaan en knielen.'

ꞏonden op, en in de stilte keek niemand weg van de kalme
ꞏ de non. 'We hebben zojuist een heel droevig bericht
ꞏ uit het academisch ziekenhuis,' zei ze. 'We moeten

dapper zijn en bidden. Ons dierbaar klasgenootje, onze lieve Rosa Pinelli, is vanmiddag om twee uur aan longontsteking gestorven.'

Er was vis voor het avondeten omdat oma Donna vijf dollar over de post had gestuurd. Een late maaltijd : ze gingen pas tegen achten aan tafel. Er was geen bijzondere reden voor. De vis was lang van tevoren al gebakken en klaar, maar Maria hield hem in de oven. Toen ze zich aan tafel verzamelden ontstond er enige verwarring, August en Federico vochten om een plaats. Toen zagen ze hoe dat kwam. Mamma had papa's plaats weer gedekt.

'Komt hij?' zei August.

'Natuurlijk komt hij,' zei Maria. 'Waar zou je vader anders eten?'

Raar hoor. August nam haar scherp op. Ze had weer een schoon mouwschort aan, het groene deze keer, en ze at behoorlijk veel. Federico slobberde zijn melk naar binnen en veegde zijn mond af.

'Hé, Arturo. Je meisje is dood, hè. We moesten voor haar bidden.'

Hij at niet, prikte met de punt van zijn vork in de vis op zijn bord. Twee jaar lang had hij tegen zijn ouders en broers opgeschept dat Rosa zijn meisje was. Nu moest hij dat allemaal inslikken.

'Ze was mijn meisje niet. Ze was gewoon een vriendinnetje.'

Maar hij boog zijn hoofd, ontweek de blik van zijn moeder, haar medeleven dat hem van over de tafel verstikkend tegemoet kwam.

'Is Rosa Pinelli dood?' vroeg ze. 'Wanneer?'

En terwijl zijn broers haar vragen beantwoordden werd hij overspoeld door de verpletterende warmte van haar medeleven en durfde zijn ogen niet op te slaan. Hij schoof zijn stoel achteruit en stond op.

'Ik heb niet zo'n honger.'

Hij hield zijn ogen van haar afgewend toen hij door de keuken naar de achtertuin liep. Hij wilde alleen zijn zodat hij zich kon laten gaan en zich bevrijden van de beklemming op zijn borst, omdat ze me haatte en ik haar kippevel bezorgde, maar zijn moeder liet niet los, ze kwam hem na uit de kamer, hij kon ha voetstappen horen, en hij stond op en rende de achtertuin door en de steeg uit.

'Arturo!'

Hij liep langs het weiland waar zijn honden waren begraven, waar het donker was en niemand hem kon zien, en toen huilde en snikte hij, met zijn rug tegen de zwarte wilg gezeten, omdat ze me haatte, omdat ik een dief ben, maar Rosa, ik had het van mijn moeder gestolen en dat is geen echt stelen, maar een kerstcadeautje, en ik heb het goedgemaakt, ik heb het opgebiecht en het allemaal goedgemaakt.

Uit het steegje hoorde hij zijn moeder roepen, roepen om haar te laten weten waar hij zat. 'Ik kom,' antwoordde hij en zorgde dat zijn ogen droog waren, likte de smaak van tranen van zijn lippen. Hij klom over het prikkeldraad in de hoek van het weiland en ze kwam hem halverwege de steeg tegemoet, ze had een doek omgeslagen en keek steels achterom in de richting van het huis. Vlug maakte ze zijn gebalde vuist open.

'Sssssst. Niks zeggen tegen August en Federico.'

Hij deed zijn hand open en zag twee kwartjes.

'Ga naar de film,' fluisterde ze. 'En koop maar een ijsje van de rest. Sssssst. Niks zeggen tegen de anderen.'

Hij wendde zich onverschillig om, liep de steeg uit, het geld zinloos in zijn vuist. Na een klein eindje riep ze en hij ging terug.

'Sssssst. Niks tegen je vader zeggen. Zorg dat je thuis bent voor hij terug is.'

Hij wandelde naar de drugstore tegenover het pompstation en ᵣpte een milkshake zonder hem te proeven. Een stelletje studen-
kwam binnen en bezette alle plaatsen aan de bar. Een lang
je van een jaar of twintig ging naast hem zitten. Ze deed haar
osser en sloeg de kraag van haar leren jasje naar achteren. Hij
aar gade in de spiegel achter de bar, haar rode wangen
en blozend van de koude nachtlucht, de grijze ogen groot
d van animo. Ze zag hoe hij haar aanstaarde in het glas en
en lachte tegen hem, haar tanden gelijk en blinkend.
ar,' zei ze, haar glimlach van het soort dat aan jongere
voorbehouden. Hij antwoordde hoi, en ze zei niets

meer tegen hem maar raakte verdiept in de student aan haar andere kant, een stuurs jongmens met een 'C' in goud en zilver op zijn borst. Het meisje had een vitaliteit en een levensvreugde die hem zijn verdriet deden vergeten. Over de etherische lucht van drogerijen en patentgeneesmiddelen bespeurde hij een parfum van seringen. Hij keek naar de lange spitse handen en de frisse volheid van haar sterke lippen terwijl ze haar cola dronk, en naar het kloppen van haar rozige keel als de vloeistof naar beneden ging. Hij betaalde zijn consumptie en verhief zich van de kruk. Het meisje keek op om hem te zien vertrekken, die aanstekelijke glimlach haar manier van vaarwel zeggen. Niet meer dan dat, maar toen hij buiten voor de drugstore stond was hij ervan overtuigd dat Rosa Pinelli niet dood was, dat het bericht vals was geweest, dat ze leefde en ademde en lachte zoals de studente in de drugstore, zoals alle meisjes in de hele wereld.

Maar vijf minuten later stond hij onder de straatlantaarn voor Rosa's verduisterde huis en staarde vol afschuw en verdriet naar dat witte, griezelige ding dat blonk in de nacht, de lange zijden linten die opwoeien als een windvlaag ze streelde: het merkteken van de doden, een rouwkrans. Opeens stroomde zijn mond vol stofachtig speeksel. Hij draaide zich om en liep de straat uit. De bomen, de zuchtende bomen! Hij versnelde zijn pas. De wind, de koude, eenzame wind! Hij zette het op een lopen. De doden, de vreeswekkende doden! Ze zaten hem op de hielen, kwamen uit de nachtelijke hemel stormen, riepen hem, steunden tegen hem, tuimelden over elkaar om hem te grijpen. Hij rende als een bezetene, de echo van zijn trappelende voeten snerpend in de straten, een koude spookachtige klamheid in zijn rug. Hij nam de afsteek over de schraagbrug. Hij struikelde over een spoorbiels en viel languit met zijn handen naar voren tegen het koude, bevroren talud. Hij rende alweer nog voor hij opgekrabbeld was, en struikelde en viel en stond weer op en snelde voort. Toen hij zijn eigen straat bereikte, draafde hij, en pas op luttele meters van zijn huis vertraagde hij zijn vaart, onderwijl het vuil van zijn kleren slaand.

Thuis.

Daar was het, een licht in het raam aan de voorkant. Thuis, waar nooit iets gebeurde, waar het warm was en de dood niet heerste.

'Arturo...'

Zijn moeder stond in de deur. Hij liep haar voorbij de warme kamer in, rook en voelde het vertrek, haalde zijn hart eraan op. August en Federico waren al naar bed. Hij schoot uit zijn kleren, vliegensvlug, in het halfduister. Toen doofde het licht in de voorkamer en het huis was donker.

'Arturo?'

Hij liep naar haar bed.

'Ja?'

Ze gooide de dekens opzij en trok aan zijn arm.

'Hier, Arturo. Bij mij.'

Zelfs zijn vingers schenen in tranen uit te barsten toen hij naast haar gleed en zich verloor in de troostende warmte van haar armen.

De rozenkrans voor Rosa.

Hij was er die zondagmiddag, samen met zijn klasgenoten geknield voor het altaar van de Heilige Maagd. Heel ver vooraan, hun donkere hoofden opgeheven naar de wassen madonna, zaten Rosa's ouders. Het waren zulke dikke mensen, er was zo veel van hen dat schudde en schokte tijdens de droge intonatie van de priester, die door de koude kerk zweefde als een vermoeide vogel, gedoemd nog eenmaal zijn wieken uit te slaan voor een reis die geen einde zou nemen. Dit gebeurde er als je stierf: op een dag zou hij dood zijn en ergens op aarde zou dit opnieuw plaatsvinden. Hij zou er zelf niet bij zijn, maar dat hoefde ook niet, want dit zou al een herinnering zijn. Hij zou dood zijn, en toch zouden de levenden hem niet onbekend zijn, want dit zou opnieuw plaatsvinden, een herinnering uit het leven vóór het was geleefd.

Rosa, mijn Rosa, ik kan niet geloven dat je me haatte, want waar je nu bent is geen haat, hier in ons midden en toch ver weg. Ik ben maar een jongen, Rosa, en het mysterie van waar je bent is geen mysterie als ik denk aan de schoonheid van je gezicht en het lachen van je overschoentjes als je door de vestibule liep. Omdat je zo'n schat was, Rosa, je was zo goed, en ik verlangde naar je en een jongen kan niet zó slecht zijn als hij van zo'n goed meisje houdt als jij. En als je me nu haat, Rosa, en ik kan niet geloven dat je me nu haat, zie dan neer op mijn verdriet en geloof dat ik je hier wil zien, want dat is ook goed. Ik weet dat je niet kunt terugkomen, Rosa, mijn allerliefste, maar er is vanmiddag in deze koude kerk een droom van je aanwezigheid, een troost in je vergeving, een droefheid dat ik je niet kan aanraken, ómdat ik van je houd en altijd van je zal houden, en als ze later op een ochtend samenkomen voor mij, dan heb ik het al gekend nog voor ze bij elkaar zijn, en het zal niet vreemd voor ons zijn...

Na de dienst kwamen ze even samen in de hal. Zuster Celia snoot haar neus in een minuscuul zakdoekje, en vroeg om stilte. Haar glazen oog, zagen ze, was helemaal opzij gerold, de pupil was nauwelijks zichtbaar.

'Morgen om negen uur is de begrafenis,' zei ze. 'De achtste klas heeft de rest van de dag vrij.'

'Hiep hoi – wat een meevaller!'

De non doorboorde hem met haar glazen oog. Het was Gonzalez, de domste jongen van de klas. Hij zocht steun tegen de muur en trok zijn hoofd diep tussen zijn schouders, grinnikend van verlegenheid.

'Jij!' zei de non. 'Typisch iets voor jou!'

Hij grinnikte hulpeloos.

'Willen de jongens van de achtste zich direct na kerktijd verzamelen in de klas. De meisjes mogen naar huis.'

Zwijgend staken ze het kerkplein over, Rodriguez, Morgan, Kilroy, Heilman, Bandini, O'Brien, O'Leary, Harrington en al de anderen. Niemand zei iets terwijl ze de trappen bestegen en naar hun bank op de eerste verdieping liepen. Stom staarden ze naar Rosa's bestofte bank, haar boeken die nog op de plank lagen. Toen kwam zuster Celia binnen.

'De ouders van Rosa hebben gevraagd of de jongens van haar klas morgen slippedragers mogen zijn. Willen degenen die dat wensen hun vinger opsteken.'

Zeven handen gingen naar de zoldering. De non bekeek hen

allen zorgvuldig, riep hen bij de naam naar voren. Harrington, Kilroy, O'Brien, O'Leary, Bandini. Arturo stond tussen de uitverkorenen, naast Harrington en Kilroy. Het geval Arturo Bandini gaf haar te denken.

'Nee, Arturo,' zei ze. 'Ik vrees dat je niet sterk genoeg bent.'

'Wel waar!' wierp hij tegen, met een woedende blik op Kilroy, op O'Brien en Heilman. Sterk genoeg! Ze waren een hoofd groter dan hij, maar hij had ze stuk voor stuk wel een keer ingemaakt. Sterker nog, hij maakte er wel twee tegelijk in, dag en nacht, wanneer je maar wou.

'Nee, Arturo. Ga maar weer zitten. Morgan, kom jij eens naar voren.'

Hij ging zitten, lachte spottend om de ironie van de zaak. O Rosa! Hij had haar duizend kilometer in zijn armen kunnen dragen, in zijn eigen twee armen naar honderd groeven en weer terug, en toch was hij in de ogen van zuster Celia niet sterk genoeg. Die nonnen! Ze waren zo lief en zo zacht – en zo dom. Ze waren stuk voor stuk net als zuster Celia, ze keken uit één goed oog, en het andere was blind en waardeloos. In dat uur wist hij dat hij niemand haten mocht, maar hij kon er niets aan doen: hij haatte zuster Celia.

Cynisch en geërgerd liep hij de stoep af, de kouder wordende wintermiddag in. Met gebogen hoofd en zijn handen diep in zijn zakken ging hij op weg naar huis. Toen hij bij de hoek was en opkeek zag hij Gertie Williams aan de overkant, haar dunne schouderbladen bewogen onder haar rode wollen jas. Ze liep langzaam, haar handen in de zakken van de jas, die haar magere heupen deed uitkomen. Hij klemde zijn tanden op elkaar toen Gerties briefje hem weer te binnen schoot. Rosa haat je en je bezorgt haar kippevel. Gertie hoorde hem aankomen op het trottoir. Ze zag hem en begon sneller te lopen. Hij had geen enkele behoefte om met haar te praten of haar te volgen, maar op het ogenblik dat ze haar pas versnelde werd hij gegrepen door de impuls haar achterna te gaan, en liep eveneens sneller. Opeens, ergens midden tussen Gerties magere schouderbladen, zag hij de waarheid. Rosa hád dat niet gezegd. Rosa zou dat ook niet zeggen.

Over niemand. Het was een leugen. Gertie had geschreven dat ze Rosa 'gisteren' had gezien. Maar dat kon niet, want op dat 'gisteren' was Rosa doodziek geweest en de volgende middag was ze in het ziekenhuis gestorven.

Hij zette het op een lopen en Gertie ook, maar ze was geen partij voor zijn snelheid. Toen hij haar inhaalde, en voor haar stond met uitgespreide armen om haar de doorgang te beletten, hield ze midden op de stoep halt, haar handen in haar zij, haar fletse ogen tartend.

'Als je 't hart hebt om me aan te raken, Arturo Bandini, ga ik gillen.'

'Gertie,' zei hij. 'Als jij niet de waarheid over dat briefje zegt, geef ik je een klap in je gezicht.'

'O dát!' zei ze uit de hoogte. 'Weet je veel.'

'Gertie,' zei hij. 'Rosa heeft nooit gezegd dat ze me haatte en dat weet je.'

Gertie ging hem rakelings voorbij, gooide haar blonde krullen in de lucht en zei: 'Nou, als ze het niet heeft gezégd, dan heb ik zo'n idee dat ze het heeft gedácht.'

Hij stond daar en zag haar nuffig de straat uitlopen, haar hoofd omhoog werpend als een Shetland-pony. Toen begon hij te lachen.

IO

De begrafenis op maandagmorgen was een epiloog. Hij voelde
geen behoefte erbij te zijn, hij had genoeg verdriet gehad. Toen
August en Federico naar school waren, ging hij op de verandatrap
zitten en ontblootte zijn borst in de warme januarizon. Nog even en
dan was het voorjaar; nog twee of drie weken en dan zouden de
grote competitieclubs zuidwaarts trekken voor de voorjaarstraining. Hij trok zijn overhemd uit en ging voorover op het droge
grasveld liggen. Er ging niets boven een lekker kleurtje, bruin
worden vóór alle andere jongens in de stad.

Mooie dag, een dag als een meisje. Hij rolde op zijn rug en zag de
wolken naar het zuiden stuiven. Daarboven stond een sterke wind;
hij had gehoord dat die helemaal uit Alaska, uit Rusland kwam,
maar de hoge bergen beschermden de stad. Hij dacht aan Rosa's
boeken, hoe ze in blauw wasdoek waren gekaft, zo blauw als de
hemel die morgen. Een rustig dagje, een paar honden slenterden
voorbij en maakten even halt bij elke boom. Hij drukte zijn oor
tegen de grond. Aan de noordkant van de stad, op de Highland
Begraafplaats, lieten ze nu Rosa in een graf zakken. Hij blies
zachtjes in de grond, drukte er een kus op, proefde met het puntje
van zijn tong. Op een dag zou hij zijn vader vragen een steen voor
Rosa's graf te houwen.

De postbode stapte van de veranda bij Gleason aan de overkant
en naderde het huis van de Bandini's. Arturo stond op en pakte de
brief die hij aanreikte. Van oma Toscana. Hij bracht hem naar
binnen en zag dat zijn moeder hem openscheurde. Er zat een korte

boodschap in en een biljet van vijf dollar. Ze stopte het biljet in haar zak en verbrandde de brief. Hij ging terug naar het grasveldje en strekte zich uit op de grond.

Na een poosje kwam Maria het huis uit met haar nette handtas. Hij lichtte zijn wang niet van het droge gras, en gaf geen antwoord toen ze zei dat ze met een uurtje terug was. Een van de honden kwam aangelopen over het gras en snuffelde aan zijn haar. Hij was bruin met zwart, en had enorme witte poten. Hij lachte toen de grote warme tong zijn oren likte. Hij maakte een holletje met zijn arm en de hond nestelde zijn kop erin. Al gauw viel het dier in slaap. Hij legde zijn oor tegen de harige borst en telde de hartslag. De hond deed een oog open, sprong overeind en likte met overdonderende affectie zijn gezicht. Nog twee honden kwamen te voorschijn en dribbelden bedrijvig langs de bomenrij in de straat. De bruin met zwart gevlekte hond spitste zijn oren, diende zich aan met een voorzichtig blafje, en rende ze achterna. Ze hielden halt en grauwden, ten teken dat hij ze met rust moest laten. Droevig keerde de bruin met zwart gevlekte hond bij Arturo terug. Hij verloor zijn hart aan het beest.

'Blijf jij maar hier bij mij,' zei hij. 'Jij bent mijn hond. Je heet Jumbo. Lieve brave Jumbo.'

Jumbo sprong vrolijk in het rond en stortte zich weer op zijn gezicht.

Hij was bezig Jumbo een bad te geven in de gootsteen toen Maria terugkwam uit de stad. Ze gaf een gil, liet haar boodschappen vallen, vluchtte de slaapkamer in en draaide de deur op slot.

'Haal hem weg!' krijste ze. 'Zet hem de deur uit!'

Jumbo rukte zich los en rende in paniek het huis uit, overal spattend met zeepsop en water. Arturo zette hem na, smeekte hem terug te komen. Jumbo maakte duiksprongen naar de grond, zoefde in een wijde bocht, rolde op zijn rug en schudde zich droog. Tenslotte verdween hij in het kolenhok. Een wolk kolenstof stoof uit de deur. Arturo stond op de achterveranda en kreunde. Het gegil van zijn moeder in de slaapkamer snerpte door het huis. Hij haastte zich naar de deur en wist haar te bedaren maar ze weigerde naar buiten te komen tot hij zowel voor- als achterdeur had afgesloten.

'Het is Jumbo maar,' zei hij sussend. 'Het is alleen maar mijn hond Jumbo.'

Ze liep naar de keuken en gluurde door het raam. Jumbo, zwart van het kolenstof, rende nog steeds wild in het rond, gooide zich op zijn rug en stoof ervandoor om van voren af aan te beginnen.

'Het lijkt wel een wolf,' zei ze.

'Hij is een halve wolf, maar hij meent het goed,' zei hij.

'Ik wil hem niet in de buurt hebben,' zei ze.

Dat, wist hij, was het begin van een strijd die minstens twee weken zou duren. Zo ging het met al zijn honden. En uiteindelijk zou Jumbo, net als zijn voorgangers, haar overal aanhankelijk nalopen, zonder oog voor iemand anders in huis.

Hij zag haar de boodschappen uitpakken.

Spaghetti, tomatenpuree, Romeinse kaas. Maar ze aten nooit spaghetti door de week. Dat was uitsluitend voor de zondagse maaltijd.

'Waarom?'

'Een verrassinkje voor je vader.'

'Komt hij dan thuis?'

'Hij komt vandaag thuis.'

'Hoe weet je dat? Heb je hem gezien?'

'Niet vragen. Ik weet gewoon dat hij vandaag komt.'

Hij sneed een stuk kaas af voor Jumbo en ging hem buiten roepen. Jumbo, ontdekte hij, kon opzitten. Hij was in de wolken: hier had je nu een intelligente hond, en niet zomaar een jachthond. Dat hoorde natuurlijk bij zijn wolvenafkomst. Met Jumbo naast zich, die op een drafje, zijn neus bij de grond, snuffelde en elke boom aan beide zijden van de straat markeerde, nu eens een blok vooruit of een half blok achterliep, en dan weer blaffend kwam aanhollen, wandelde hij westwaarts in de richting van de lage heuvels waarachter de witte pieken hoog oprezen.

Bij de rand van de stad, waar Hildegarde Road een scherpe bocht naar het zuiden maakte, gromde Jumbo als een wolf, overzag de dennebomen en het kreupelhout aan weerszijden van de weg en verdween in het ravijn, zijn dreigend grommen een waarschuwing voor alle wilde dieren die het tegen hem wilden opnemen. Een bloedhond! Arturo zag hem door de struiken heen en weer zwenken, zijn buik dicht tegen de grond gedrukt. Wat een hond! Deels wolf, deels bloedhond.

Honderd meter voor de heuveltop hoorde hij een warm geluid dat hem vertrouwd was uit de vroegste herinneringen van zijn kinderjaren: het tinkelen van zijn vaders hamer als hij de beitel trof en de steen in stukken spleet. Hij was blij: het betekende dat zijn vader werkkleren zou dragen, en hij zag zijn vader graag in werkkleren, dan was hij makkelijker te benaderen.

Er klonk gekraak in het struikgewas links van hem en Jumbo kwam op een holletje terug naar de weg. Tussen zijn tanden had hij een dood konijn, al vele weken dood, dat stonk naar ontbinding. Jumbo draafde een meter of tien de weg op, liet zijn prooi vallen en ging erbij liggen waken, zijn kin plat op de grond, zijn achterlijf in de lucht, terwijl zijn ogen van het konijn naar Arturo gingen en weer terug. Er kwam een woest gerommel uit zijn keel toen Arturo naderbij kwam... De stank was niet te harden. Hij holde ernaar toe en probeerde het konijn van de weg te schoppen, maar Jumbo griste het voor zijn voet vandaan, vond de beet en stoof er weer vandoor in triomfantelijke galop. In weerwil van de stank keek Arturo hem vol bewondering na. Man, wat een hond! Deels wolf, deels bloedhond, deels apporteur.

Maar hij vergat Jumbo, vergat alles, vergat zelfs wat hij had willen zeggen toen zijn kruin boven de heuvel uit kwam en hij zag dat zijn vader zijn nadering gadesloeg, de hamer in de ene hand, de beitel in de andere. Hij bleef op de heuveltop staan en wachtte roerloos. Wel een minuut lang staarde Bandini hem recht in zijn gezicht. Toen hief hij zijn hamer, plaatste de beitel en trof opnieuw de steen. Toen wist Arturo dat hij niet onwelkom was. Hij stak het grindpad over naar de zware werkbank waaraan Bandini werkte. Hij moest een hele tijd wachten voor zijn vader sprak.

'Waarom ben je niet op school?'

'Er is geen school. Er was een begrafenis.'

'Wie is er dood?'

'Rosa Pinelli.'

'De dochter van Salvatore Pinelli?'

'Ja.'

'Hij deugt niet, Salvatore Pinelli. Een onderkruiper in de mijn, een nietsnut.'

Hij zette zijn arbeid voort. Hij bewerkte de steen, maakte hem passend in de zitting van een stenen tuinbank bij de plaats waar hij werkte. Zijn gezicht vertoonde nog de tekens van de kerstavond, drie lange krassen over de lengte van zijn wangen, als de strepen van een bruin potlood.

'Hoe is het met Federico?' vroeg hij.

'Best.'

'En August?'

'Ook goed.'

Stilte, op het tikken van de hamer na.

'Hoe gaat het met Federico op school?'

'Wel goed, denk ik.'

'En August?'

'Die maakt het best.'

'En jijzelf? Heb je goeie cijfers?'

'Gaat wel.'

Stilte.

'Gedraagt Federico zich goed?'

'Ja hoor.'

'En August?'

'Die gaat best.'

'En jij?'

'Jawel.'

Stilte. In het noorden zag hij de wolken samentrekken, de neveligheid omhoogkruipen naar de hoge toppen. Hij keek om zich heen naar Jumbo, maar zag geen spoor van hem.

'Is alles goed thuis?'

'Alles gaat prima.'

'Niemand ziek?'

'Nee. We voelen ons best.'

'Slaapt Federico goed 's nachts?'

'Ja hoor, elke nacht.'

'En August?'

'Ook.'

'En jij?'

'Ik ook.'

Eindelijk zei hij het. Hij moest zich ervoor omdraaien, zich omdraaien en een zware steen oppakken die alle kracht in zijn nek en rug en armen vergde, zodat het met een korte ademtocht kwam: 'Hoe is het met mamma?'

'Ze wil dat je thuiskomt,' zei hij. 'Ze gaat spaghetti maken. Ze wil je terug. Ze zegt het zelf.'

Hij pakte weer een steen, nog groter ditmaal, het was een krachttoer, zijn gezicht liep rood aan. Toen boog hij zich erover, zwaar ademend. Zijn hand ging naar zijn oog, de vinger veegde een dun straaltje naast zijn neus weg.

'Zit iets in mijn oog,' zei hij. 'Een stukje steen.'

'Weet ik. Heb ik ook weleens.'

'Hoe is het met mamma?'

'Goed. Prima.'

'Is ze niet meer kwaad?'

'Nee. Ze wil je terug. Zei ze tegen mij. Spaghetti voor het eten. Dan is ze niet kwaad, lijkt me.'

'Ik wil geen rotzooi meer,' zei Bandini.

'Ze weet geeneens dat je hier bent. Ze denkt dat je bij Rocco zit.'

Bandini keek hem onderzoekend aan.

'Maar ik woon ook bij Rocco,' zei hij. 'Ik heb daar al die tijd gezeten, sinds ze me eruit gooide.'

Een ijskoude leugen.

'Dat weet ik,' zei hij. 'Ik heb het haar gezegd.'

'Heb jij dat gezegd.' Bandini legde zijn hamer neer. 'Hoe wist je dat dan?'

'Rocco heeft het me verteld.'

Argwanend: 'Zo.'

'Papa, wanneer kom je thuis?'

Hij floot afwezig, een wijsje zonder melodie, een fluiten zonder betekenis. 'En als ik nooit meer thuiskwam,' zei hij. 'Hoe zou je dat vinden?'

'Mamma wil je terug. Ze verwacht je. Ze mist je.'

Hij sjorde zijn riem omhoog.

'Ze mist me! Wat dan nog?'

Arturo haalde zijn schouders op.

'Het enige dat ik weet is dat ze je terug wil.'

'Misschien kom ik terug – en misschien ook niet.'

Toen vertrok zijn gezicht, zijn neusgaten trilden. Arturo rook het ook. Achter hem hurkte Jumbo, het karkas tussen zijn voorpoten, zijn lange tong kwijlend van het speeksel, en keek naar Bandini en Arturo om duidelijk te maken dat hij weer krijgertje wou spelen.

'Ga weg, Jumbo,' zei Arturo. 'Neem dat mee!'

Jumbo liet zijn tanden zien, het rommelen kwam uit zijn keel, en hij legde zijn kin over het konijn. Het was een provocerend gebaar. Bandini hield zijn neus dicht.

'Van wie is die hond?' vroeg hij geknepen.

'Van mij. Hij heet Jumbo.'

'Haal hem hier weg.'

Maar Jumbo vertikte het. Hij liet zijn lange hoektanden zien toen Arturo dichterbij kwam, ging op zijn achterpoten zitten als klaar voor de sprong, het woeste keelgereutel klonk moordlustig. Arturo keek toe, gefascineerd en bewonderend.

'Zie je wel,' zei hij. 'Ik kan er niet eens bijkomen. Hij scheurt me aan repen.'

Jumbo moest het verstaan hebben. Het reutelen in zijn keel bleef angstaanjagend aanhouden. Toen gaf hij het konijn een tik met zijn poot, pakte het op en wandelde kalmpjes, kwispelstaartend weg... Hij was al bij de zoom van de dennen toen de zijdeur openging en de weduwe Hildegarde verscheen, die bedenkelijk haar neus ophaalde.

'Hemel, Svevo! Wat is dat voor vreselijke lucht?'

Jumbo zag haar over zijn schouder. Zijn blik ging naar de dennebomen en terug. Hij liet het konijn vallen, pakte het weer op maar nu steviger, en drentelde behaaglijk over het gazon op de weduwe af. Die was niet in de stemming voor gekheid. Ze greep een bezem en ging hem tegemoet. Jumbo stroopte zijn lippen omhoog en naar achteren tot zijn grote witte tanden glinsterden in de zon en de slierten speeksel uit zijn kaken liepen. Hij liet weer het rochelen horen, woest, bloedstollend, een waarschuwing die tegelijk een sissen en grommen was. De weduwe bleef stokstijf staan, beheerste zich, bekeek de bek van de hond en wierp geërgerd haar hoofd in de nek. Jumbo liet zijn last weer vallen en ontrolde tevreden zijn tong. Hij had ze er allemaal onder. Hij sloot zijn ogen en deed of hij sliep.

'Haal die rothond hier vandaan!' zei Bandini.

'Is dat jouw hond?' vroeg de weduwe.

Arturo knikte met ingehouden trots.

De weduwe keek hem onderzoekend aan, en toen naar Bandini.

'Wie is deze jongeman?' vroeg ze.

'Dat is mijn oudste,' zei Bandini.

De weduwe zei: 'Jaag dat vreselijke geval van mijn terrein af.'

Zo, woei de wind uit die hoek? Was ze er dus zó een! Hij besloot onmiddellijk geen vinger naar Jumbo uit te steken, want hij wist dat het voor de hond maar spel was. En toch wilde hij zo graag geloven dat Jumbo net zo bloeddorstig was als hij eruitzag. Hij begon op de hond af te lopen, langzaam en weloverwogen. Bandini hield hem tegen.

'Wacht,' zei hij. 'Laat dit maar aan mij over.'

Hij greep de hamer en kwam bedachtzaam op Jumbo af, die trilde en hijgde en met zijn staart heen en weer sloeg. Bandini was drie meter van hem af voor hij op zijn achterpoten ging staan, zijn kin strekte en zijn waarschuwend grommen aanhief. De uitdrukking op het gezicht van zijn vader, die vastbeslotenheid tot doden, die voortkwam uit trots en bravoure, omdat de weduwe daar stond, dreef Arturo over het gras en hij greep met beide handen de korte hamer en sloeg hem uit Bandini's harde vuist. Onmiddellijk kwam Jumbo in actie, hij liet zijn prooi vallen en sloop gestaag in de richting van Bandini die achteruit week. Arturo viel op zijn knieën en hield Jumbo vast. De hond likte zijn gezicht, gromde tegen Bandini, en likte opnieuw zijn gezicht. Op elke beweging van Bandini's arm reageerde de hond met een grauw. Jumbo speelde niet meer. Hij was nu tot vechten bereid.

'Jongeman,' zei de weduwe. 'Haal je die hond hier nog weg of moet ik de politie bellen en hem laten doodschieten?'

Het maakte hem razend.

'Als je verdomme het lef hebt!'

Jumbo loerde naar de weduwe en ontblootte zijn tanden.

'Arturo!' vermaande Bandini. 'Zo praat je niet tegen mevrouw Hildegarde.'

Jumbo keek naar Bandini en bracht hem met een grauw tot zwijgen.

'Jij lelijke kleine aap,' zei de weduwe. 'Svevo Bandini, laat je toe dat deze kwajongen op die manier tekeergaat?'

'Arturo!' beet Bandini hem toe.

'Boeren zijn jullie!' zei de weduwe. 'Buitenlanders! Jullie zijn allemaal hetzelfde, jullie met die honden van je en jullie allemaal.'

Svevo liep over het gras naar de weduwe Hildegarde toe. Zijn lippen gingen vaneen. Hij hield zijn handen ineengeslagen voor zich.

'Mevrouw Hildegarde,' zei hij. 'Dat is mijn zoon. U kunt hem zo niet bejegenen. Die jongen is Amerikaan. Hij is geen buitenlander.'

'Ik heb het óók tegen jou!' zei de weduwe.

'Brutta animale!' zei hij. *'Puttana!'*

Zijn speeksel spatte in haar gezicht.

'Teef die je bent,' zei hij. 'Teef!'

Hij draaide zich om naar Arturo.

'Ga mee,' zei hij. 'We gaan naar huis.'

De weduwe verroerde zich niet. Zelfs Jumbo bespeurde haar woede en sloop ervandoor, met achterlating van zijn weerzinwekkende buit op haar gazon. Bij het grindpad waar de bomen vaneen weken naar de weg heuvelafwaarts, stond Bandini stil en keek om. Zijn gezicht was vuurrood. Hij hief zijn vuist omhoog.

'Teef!' zei hij.

Arturo bleef een paar meter verder wachten. Getweeën daalden ze het harde, roodachtige pad af. Ze zeiden niets, Bandini stikte nog van woede. Ergens in het ravijn dwaalde Jumbo rond, het struikgewas kraakte waar hij erdoorheen dook. De wolken waren tegen de bergtoppen gedreven, en hoewel de zon nog scheen, was er kou in de lucht.

'En je gereedschap?' vroeg Arturo.

'Het is mijn gereedschap niet. 't Is van Rocco. Laat hij het werk maar afmaken. Dat wou hij toch al.'

Uit het struweel kwam Jumbo aanhollen met een dode vogel in zijn bek, al vele dagen dood.

'Die rothond!' zei Bandini.

'Het is een brave hond, papa. Hij jaagt ook op vogels.'

Bandini keek naar een plekje blauw in het oosten.

'Het wordt gauw lente,' zei hij.

'Ja nou, en of!'

Op het ogenblik dat hij het zei raakte iets kleins en kouds de rug van zijn hand. Hij zag het smelten, een kleine stervormige sneeuwvlok.